HISTOIRE DESSINÉE DE LA GUERRE D'ALGÉRIE

DES MÊMES AUTEURS

Benjamin Stora
(sélection)

Les Mémoires dangereuses
(avec Alexis Jenni)
Albin Michel, 2015

Les Clés retrouvées
Une enfance juive à Constantine
Stock, 2015

La Guerre d'Algérie expliquée en images
Seuil, 2014

Algérie, 1954-1962.
Lettres, carnets et récits des Français
et des Algériens dans la guerre
(avec Tramor Quemeneur)
Les Arènes, 2011
Grand Prix des lectrices de *Elle*, 2011
Librio, 2014 (sous le titre : *Mémoires d'Algérie*)

Le 89 arabe. Réflexions sur les révolutions en cours
(dialogue avec Edwy Plenel)
Stock, 2011

La Guerre d'Algérie vue par les Algériens
T. 1 : Le temps des armes. Des origines à la bataille d'Alger
(avec Renaud de Rochebrune)
Denoël, 2011

François Mitterrand et la guerre d'Algérie
(avec François Malye)
Calmann-Lévy, 2010 ; Hachette, « Pluriel », 2012

Le Mystère de Gaulle. Son choix pour l'Algérie
Robert Laffont, 2009 ; Hachette, « Pluriel », 2012
(sous le titre : *De Gaulle et la guerre d'Algérie*)

Les Immigrés algériens en France
Une histoire politique, 1912-1962
Hachettes Littératures, « Pluriel », 2009

Les Guerres sans fin
Un historien, la France et l'Algérie
Stock, 2008 ; Pluriel, 2013

La Guerre des mémoires
La France face à son passé colonial
(entretiens avec Thierry Leclère)
Éditions de l'Aube, 2007, 2011 ; La Découverte, 2010
Suivi de *Algérie 1954*
Éditions de l'Aube, 2015

Immigrances
L'immigration en France au XXe siècle
(avec Émile Temine)
Hachette Littératures, 2007

Les Trois exils. Juifs d'Algérie
Stock, 2006 ; Hachette, « Pluriel », 2008

La Guerre d'Algérie. 1954-2004 : la fin de l'amnésie
(avec Mohammed Harbi)
Robert Laffont, 2004

Histoire de l'Algérie coloniale (1830-1954)
La Découverte, 2004

La Dernière Génération d'octobre
Stock, 2003 ; Hachette, « Pluriel », 2008

La Guerre invisible. Algérie années 1990
Éditions des Presses de Sciences Po, 2000

Les 100 Portes du Maghreb
(avec Akram Ellyas)
Éditions de l'Atelier, 1999

La Gangrène et l'Oubli
La mémoire de la guerre d'Algérie
La Découverte, 1991 et 2005

Appelés en guerre d'Algérie
Gallimard, 1997

Imaginaires de guerre, Algérie-Viêt Nam en France
et aux États-Unis
La Découverte, 1997

Histoire de l'Algérie depuis l'indépendance
T. 1 : 1962-1988
La Découverte, 1992, 2001

Histoire de la guerre d'Algérie
La Découverte, 1991, 2004

Messali Hadj
Pionnier du nationalisme algérien, 1898-1974
Le Sycomore, 1982 ; Hachette, « Pluriel », 2004, 2012

Sébastien Vassant

Politique qualité
Futuropolis, 2016

Juger Pétain
(avec Philippe Saada)
Glénat, 2015

Frères d'ombre
(avec Jérôme Piot)
Futuropolis, 2013

Jules des chantiers
(avec Frédérique Jacquet)
Ed. de l'Atelier, 2009

La voix des hommes qui se mirent
(avec Gilles Lahrer)
Futuropolis, 2009

L'accablante apathie des dimanches à Rosbif
(avec Gilles Lahrer)
Futuropolis, 2008

El Mexicano
Carabas jeunesse, 2007

Rodney contre le robot
Carabas jeunesse, 2006

Comment je me suis fais suicider
(avec Loïc Dauvillier)
6 pieds sous terre, 2006

BENJAMIN STORA
SÉBASTIEN VASSANT

HISTOIRE DESSINÉE DE
LA GUERRE
D'ALGÉRIE

SEUIL

ISBN 978-2-02-128295-5

www.seuil.com

"LA GUERRE EST TOUJOURS
UNE INTIMITÉ : DEUX FLOTS
ENNEMIS QUI S'AFFRONTENT
ET MÊLENT LEURS VAGUES...
MAIS DANS LE CAS DE LA
FRANCE ET DE L'ALGÉRIE,
UNE INTIMITÉ
QUOTIDIENNE A PRÉEXISTÉ
À LA GUERRE, ET A ENSUITE
COEXISTÉ AVEC ELLE...
LA PLUS GRANDE FUREUR,
EMMÉLÉE AVEC LA PLUS
GRANDE INTIMITÉ, TEL
A ÉTÉ PENDANT SEPT ANS
LE DESTIN DE TOUS LES
HABITANTS DE L'ALGÉRIE,
QUELLE QUE SOIT LEUR ORIGINE."

GERMAINE TILLION.

LA DRÔLE DE GUERRE
NOVEMBRE 1954 - AOÛT 1955

ALGÉRIE, 1954.

1ER NOVEMBRE 1954

Dans la nuit du 1er novembre 1954, trente attentats sont commis presque simultanément sur le territoire algérien.

Des postes de police, des casernes, des usines ou des grandes propriétés, symboles de la présence coloniale française, sont pris pour cibles.

Cette insurrection provoque la mort de 7 personnes : principalement, des militaires et représentants de l'État ou de l'autorité française en Algérie.

Parmi eux, on compte aussi un instituteur, Guy Monnerot, ce qui soulève l'émotion de l'opinion publique. Les journalistes parlent de « la Toussaint rouge » pour désigner cette nuit de violence.

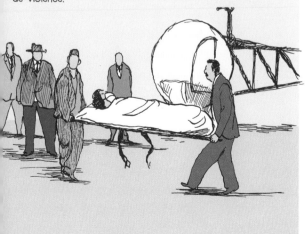

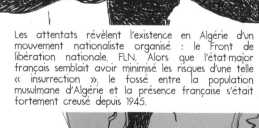

Les attentats révèlent l'existence en Algérie d'un mouvement nationaliste organisé : le Front de libération nationale, FLN. Alors que l'état-major français semblait avoir minimisé les risques d'une telle « insurrection », le fossé entre la population musulmane d'Algérie et la présence française s'était fortement creusé depuis 1945.

LES SOURCES DU NATIONALISME EN ALGÉRIE

Dès les années 1920, plusieurs mouvements nationalistes de nature différente ont vu le jour.

Le mouvement des Oulémas, lancé par Abdelhamid Ben Badis, représente la branche arabo-islamique du nationalisme algérien. Son programme, à la fois culturel et religieux, prône la réappropriation de la langue arabe et de l'islam pour définir les contours de la nation.

Un autre mouvement se constitue autour d'intellectuels qui réclament l'intégration de l'Algérie à la France et l'égalité politique, avec pour mot d'ordre : « Un homme, une voix ». Ferhat Abbas, pharmacien de Sétif, est le plus connu d'entre eux. Il crée en 1946 l'UDMA (l'Union démocratique du manifeste algérien).

Le mouvement prônant l'indépendance de l'Algérie, l'Étoile nord-africaine (ENA), est fondé par Messali Hadj, ancien membre du PCF, dans les milieux de l'immigration en France, en 1926.
Messali Hadj rompt avec le PCF en 1929. Il va s'imposer comme le leader charismatique des masses musulmanes algériennes à la fin des années 1930.

En août 1936, il prononce un discours au stade d'Alger. Après s'être baissé pour ramasser une poignée de terre, Messali déclare :

CETTE TERRE EST À NOUS! NOUS NE LA VENDRONS À PERSONNE!!

Son parti indépendantiste est interdit par le Front populaire en 1937. Il crée alors le Parti du Peuple Algérien.
Arrêté pendant la Seconde Guerre mondiale, Messali Hadj fonde, une fois libéré, le MTLD (Mouvement pour le triomphe des libertés démocratiques) en 1946.

Les idées diffusées par ces trois mouvements touchent d'abord les élites urbaines. Elles vont gagner progressivement les campagnes dans le courant des années 1940.

8 MAI 1945

Le 8 mai 1945, partout en France, on célèbre la fin de la Seconde Guerre mondiale.

En Algérie aussi, on manifeste. Dans la plupart des villes, les Algériens musulmans défilent dans la rue.

La foule veut surtout affirmer son opposition à la présence coloniale française. Les banderoles contestataires fleurissent dans le cortège.

A BAS LE FASCISME ET LE COLONIALISME

Dans la ville de Sétif, un drapeau algérien, alors interdit, émerge au milieu des manifestants. Un policier perd son sang-froid.

RATATATATAT.

Bouzid Saâl, le jeune Algérien qui a brandi le drapeau vert et blanc, est tué. La police tire dans la foule. C'est l'émeute.

Pendant les deux jours qui suivent, la population algérienne riposte. Le bilan de ce soulèvement sera terrible.

Parmi ceux qu'on appelle les « Européens d'Algérie », 103 personnes sont assassinées et 110 autres sont blessées.

Face au massacre, les autorités françaises décident de répondre par des représailles encore plus violentes. Les militaires ratissent les habitations, tuent sans sommation… Dans les semaines qui suivent, un massacre organisé contre la population civile provoque la mort de 10 000 à 15 000 personnes. Les Algériens avancent le chiffre de 45 000 victimes.

Par ce coup de force, la France pense avoir rétabli durablement son autorité sur le territoire algérien.

Mais les événements de Sétif ont, au contraire, exacerbé le sentiment nationaliste de la population musulmane qui rejettera en masse la présence coloniale établie depuis 1830.

L'ALGÉRIE FRANÇAISE

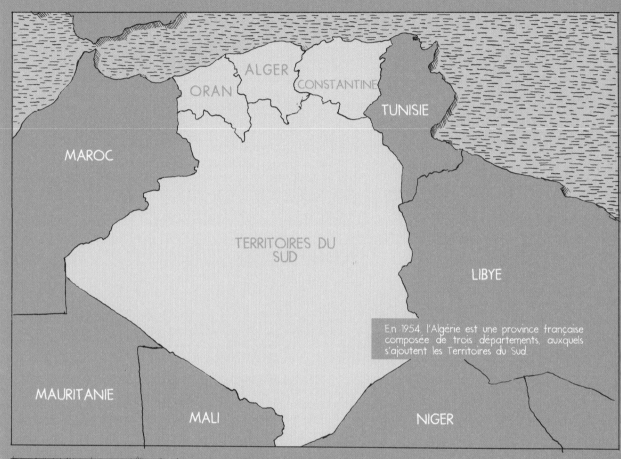

ALGER

ORAN CONSTANTINE

TUNISIE

MAROC

TERRITOIRES DU SUD

LIBYE

En 1954, l'Algérie est une province française composée de trois départements, auxquels s'ajoutent les Territoires du Sud.

MAURITANIE

MALI

NIGER

C'est en 1830 (bien avant l'annexion de la Savoie en 1870), avec la prise d'Alger, que la France a commencé à prendre le contrôle du territoire algérien.

POPULATION D'ALGÉRIE

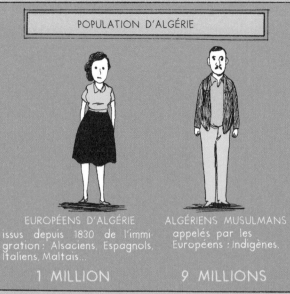

EUROPÉENS D'ALGÉRIE
issus depuis 1830 de l'immigration : Alsaciens, Espagnols,
Italiens, Maltais...

1 MILLION

ALGÉRIENS MUSULMANS
appelés par les
Européens : Indigènes.

9 MILLIONS

Dans les villes se côtoient des Européens, des Juifs devenus français depuis le décret Crémieux de 1870 et des musulmans qui n'ont pas acquis la pleine citoyenneté française. Ces communautés ne se mélangent pas vraiment. On ne fréquente pas toujours les mêmes écoles, les mêmes bars, ni les mêmes plages, ou les mêmes cinémas...

Mais la plupart des Européens d'Algérie ne sont pas de riches colons. Ce sont surtout des petits artisans, des commerçants et des fonctionnaires de condition modeste dont le niveau de vie est bien inférieur à celui de la population de métropole.

Parmi les colons français, certains se sont imposés, parfois au fil des générations, comme d'importants exploitants et propriétaires terriens, industriels, veillant avec plus ou moins de bienveillance paternaliste sur leur main-d'œuvre musulmane.

Parmi les 9 millions d'Algériens musulmans, environ 7 millions vivent dans la pauvreté. Ils ne profitent guère des « bienfaits de la colonisation française ». Seuls 16 % des enfants musulmans sont scolarisés. Les autres sont livrés à eux-mêmes ou mis au travail. Le petit cireur de chaussures des grandes villes est la figure emblématique de ces enfants des rues.

Au lendemain de la Seconde Guerre mondiale et des « événements » de Sétif, la France a voulu organiser les territoires algériens en votant un nouveau statut, en 1947, qui tente d'introduire une dose d'autonomie dans le fonctionnement des institutions de l'Algérie française.

Celui-ci prévoit notamment la création d'une Assemblée algérienne composée de deux collèges de représentants élus.

Mais cette assemblée n'est pas représentative de la réalité du territoire : la voix d'un Européen vaut 7 voix d'Algériens.

Qui plus est, les élections du 11 avril 1948 sont truquées (les urnes du deuxième collège ont été bourrées) afin d'évincer les nationalistes de l'Assemblée.

LES FRANÇAIS SONT RESTÉS ÉTRANGERS. ILS CROYAIENT QUE L'ALGÉRIE C'ÉTAIT EUX.

MOULOUD FERAOUN
Écrivain

QU'EST-CE QU'UN INDIGÈNE POUR UN EUROPÉEN ? C'EST L'HOMME DE PEINE, LA FEMME DE MÉNAGE. UN ÊTRE BIZARRE AUX MŒURS RIDICULES, AU COSTUME PARTICULIER, AU LANGAGE IMPOSSIBLE.

EN TOUT CAS UN ÊTRE À PART. BIEN À PART ET QU'ON LAISSE OÙ IL EST.

DÈS LE DÉBUT ON SAVAIT CE QU'IL FALLAIT FAIRE POUR FRATERNISER AVEC LES INDIGÈNES. ON SAVAIT AUSSI CE QU'IL FALLAIT FAIRE POUR UNIQUEMENT BÉNÉFICIER DE LA COLONISATION, AU DÉTRIMENT DE L'INDIGÈNE. IL FALLAIT L'EXPLOITER, LE FAIRE SUER, LUI DONNER DU BÂTON ET LE MAINTENIR DANS L'IGNORANCE. ET ON A CHOISI.

LA LUTTE S'EST ENGAGÉE ENTRE DEUX PEUPLES DIFFÉRENTS. ENTRE LE MAÎTRE ET LE SERVITEUR. VOILÀ TOUT.

L'ECHO D'ALGER

13 FRANCS

4 PAGES DE SPORTS
Echo Sport...
UNE PAGE ILLUSTRÉE

M MITTERRAND *dans une déclaration radiodiffusée*

L'ALGÉRIE C'EST LA FRANCE ET LA FRANCE NE RECONNAITRA PAS CHEZ ELLE D'AUTRE AUTORITÉ QUE LA SIENNE

Chaque jour verra l'autorité de l'Etat s'affirmer davantage et le statut de l'Algérie entrera de plus en plus dans les faits.

La véritable opé de nettoyage de l va commen dans quelques

En réaction aux attentats, le gouvernement français envoie 26 000 soldats en renfort sur le terrain. Entre mai-juin et novembre 1954, la présence militaire française passe progressivement de 49 000 à plus de 83 000. hommes.

Commence alors en Algérie une « drôle de guerre » qui ne dit pas son nom.

En effet, après novembre 1954, les affrontements sont rares.

On parle déjà « d'événements » ou « d'opérations de maintien de l'ordre » mais jamais de « guerre ».

Ceci n'est pas une guerre.

La plupart du temps, les soldats s'efforcent de gagner la confiance des populations. C'est le temps de la « pacification ».

Dans ce contexte, en janvier 1955, le gouvernement élabore un programme de réformes. Il s'agit de :

Favoriser pour les Algériens musulmans l'accès jusqu'alors limité aux postes administratifs.

Réduire les écarts de salaires entre les deux communautés. Si les Français d'Algérie vivaient moins bien que ceux de métropole, ils gagnaient bien mieux leur vie que les musulmans.

Lancer de grands travaux et développer l'administration (routes, mairies, postes).

Dans le même temps, l'armée pourchasse les indépendantistes et tente d'isoler les « rebelles ».

La mission des militaires est d'affaiblir les organisations responsables de la « Toussaint rouge » de novembre 1954: le FLN et l'ALN.

Les événements du 1er novembre 1954 révèlent une organisation structurée, jusqu'alors inconnue : le FLN.

Fondé en octobre 1954, le FLN est composé majoritairement d'activistes du MTLD, anciens membres de l'organisation spéciale (OS) chargée de préparer une insurrection militaire et qui a été démantelée par la police française en 1950 et 1951.

LES «CHEFS HISTORIQUES»

Le FLN est créé par neuf « chef historiques », instigateurs des attentats de novembre :

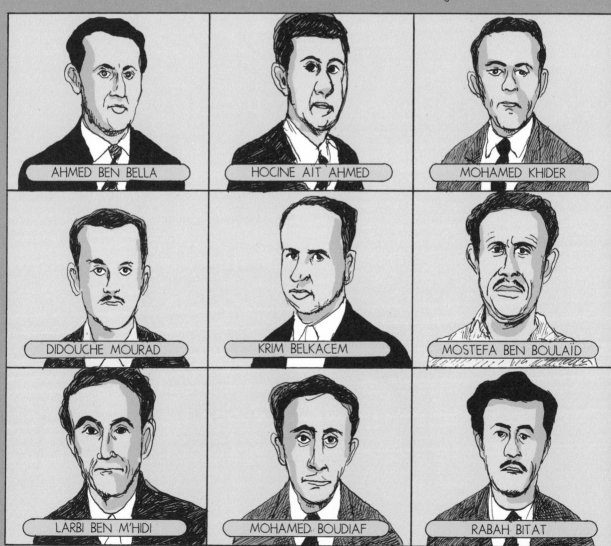

AHMED BEN BELLA

HOCINE AÏT AHMED

MOHAMED KHIDER

DIDOUCHE MOURAD

KRIM BELKACEM

MOSTEFA BEN BOULAÏD

LARBI BEN M'HIDI

MOHAMED BOUDIAF

RABAH BITAT

22

Le massacre de Sétif en mai-juin 1945 a renforcé la volonté des jeunes activistes de passer à la lutte armée en vue de l'indépendance algérienne.

Dès novembre 1954, le FLN se dote d'une branche armée, l'ALN, Armée de libération nationale.

L'ALN est d'abord constituée de 3 000 hommes, mal armés et mal préparés.

Au cours des deux premières années du conflit, elle parvient à se structurer et à se doter d'un état-major.

Aux activistes du FLN se rallieront les responsables du parti de Ferhat Abbas à partir d'avril 1956. Les responsables religieux des Oulémas et ceux du Parti communiste algérien rejoindront aussi le FLN dans les semaines qui suivent.

Les partisans de Messali Hadj voudront conserver leur autonomie. Ils créent le MNA, Mouvement national algérien, en décembre 1954.

Pendant tout le premier semestre 1955, des escarmouches opposent les « rebelles » du FLN et les soldats de l'armée française.

Le FLN tente de convaincre, parfois par la terreur, les populations locales qu'il est le seul représentant du peuple pour qu'elles adhèrent à la cause révolutionnaire.

Connaissant parfaitement le terrain, des groupes du FLN s'en prennent aux garnisons françaises.

En réponse, les militaires français arrêtent et parfois exécutent sommairement tout homme soupçonné de participer à la « rébellion ».

Le 12 février 1955, l'ethnologue et gaulliste Jacques Soustelle, réputé homme d'ouverture, est nommé Gouverneur général d'Algérie.

S'il s'efforce de comprendre le malaise de la population musulmane, il réclame au gouvernement de renforcer les moyens de l'armée pour lutter contre le FLN. L'état d'urgence est instauré le 3 avril 1955.

Pourtant, les autorités françaises nient encore qu'une guerre est en cours en Algérie. Cette situation va brutalement se modifier en août 1955.

Le 20 août 1955, les assaillants du FLN ont tenté de pénétrer, sans succès, dans la ville de Constantine, capitale de l'Est algérien.

Philippeville,
le 20 août 1955...

En ce 20 août 1955, avec les émeutes sanglantes du Constantinois, le mythe de l'opération de maintien de l'ordre s'effondre.

Le bilan des violences dans la région se solde par 123 morts, dont 71 Européens.

À Philippeville, les paras ratissent et raflent des centaines de suspects.

Certains, parqués au stade de la ville, sont exécutés et des fosses communes sont creusées dans la terre du stade.
Cette violente répression qui dure plusieurs jours fait plus de 1 200 morts. Pour ce massacre, le FLN avancera de son côté le chiffre de 12 000 morts.

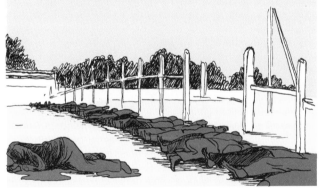

Sur place, bouleversé par la vue des cadavres des Européens assassinés, Jacques Soustelle donne carte blanche à l'armée.

Le temps des réformes est révolu.

LA GUERRE OUVERTE
AOÛT 1955 - JANVIER 1957

ROGER DEVROE
Soldat appelé

JE PENSE QU'ON N'A PAS RÉFLÉCHI, ON EST PARTIS ... ET PUIS IL N'Y AVAIT PAS LES MÉDIAS COMME AUJOURD'HUI, PAS LA TÉLÉVISION ... LES GENS ÉTAIENT INFORMÉS DES ÉVÉNEMENTS, DES ATTENTATS EN ALGÉRIE SURTOUT À TRAVERS LES JOURNAUX.

MES VINGT ANS ONT ÉTÉ QUAND MÊME UNE BELLE ÉPOQUE PARCE QU'ON GARDE LE SOUVENIR DES AMIS QU'ON A CONNUS ...

JE ME SOUVIENS : QUAND ON RENTRAIT D'OPÉRATION, APRÈS ÊTRE PARTI 24 HEURES, 36 HEURES DANS LE DJEBEL, QU'ON SE RETROUVAIT AU FOYER ENTRE CAMARADES, TOUS DE CONDITION À PEU PRÈS IDENTIQUE.

ON BUVAIT QUELQUES BIÈRES ET PUIS LA FATIGUE ÉTAIT OUBLIÉE. JE PENSE QU'IL Y AVAIT QUAND MÊME UNE BONNE AMBIANCE DANS LE RÉGIMENT.

POUR FAIRE UNE CONFIDENCE : À CHAQUE FOIS QUE MA FEMME REGARDE MES PHOTOS D'ALGÉRIE, ELLE DIT : "T'AS TOUJOURS TON QUART DE BIÈRE À LA MAIN !"

Port de Marseille, octobre 1955

La France, cette fois, est
entrée en guerre...

Début 1956, les effectifs sont de 190 000 militaires français sur
le territoire algérien. Ils seront 400 000 à la fin de cette
même année.

Elle a appelé 60 000 réservistes au lendemain du
soulèvement du 20 août 1955. Le service militaire
est porté de 18 à 28 mois.

CONSEILS PRATIQUES

1°) Toutes les conversations doivent commencer par des formules de politesse. Ce qu'on appelle les «salamalecs» peut durer assez longtemps.

2°) Dieu est toujours présent à l'esprit des Musulmans. Il y est fait souvent allusion au cours d'une conversation.

3°) Le Musulman est en général très patient. Il convient de faire preuve de patience à son égard. Il a rarement la notion du temps.

4°) Éviter autant que possible de poser des questions sur les femmes. Ne pas être grossier.

5°) En vous adressant en français à un notable ou à un évolué, lui dire «vous».

6°) Ne pas prononcer les mots «ratons», «bicots» ... etc. que tous comprennent.

7°) N'accorder qu'un crédit relatif aux renseignements recueillis sur les distances. «Pas loin» pour un Musulman peut signifier 3 à 4 heures de marche.

8°) Ne pas oublier que l'alcool, les jeux de hasard, le porc, et la viande de tous les animaux qui ne sont pas égorgés par un Musulman, sont interdits par la religion musulmane.

"EL HaL SEKHOUN."

Hé! Je me suis encore engueulé avec ce con de Pierre, là! Autant c'est un marrant la plupart du temps, des fois j'ai vraiment envie de lui en foutre une.

Tu fais quoi, Jacques?

Je révise des mots d'arabe... T'y es déjà allé, toi?

En Algérie? Tu rigoles? Non, moi, à part mon Limousin, j'ai à peine mis un pied à la capitale quand j'étais môme.

Tu crois que c'est très différent de la France?

Au total, 1,5 million de soldats français participeront à la guerre d'Algérie. Contrairement à la guerre d'Indochine, qui a été menée par des soldats de métier, tous les Français nés entre 1932 et 1943 sont mobilisés.

Quelques milliers d'appelés refusent de partir, soutenus par des réseaux militants de gauche.

Le 1er septembre 1955, gare de l'Est, 2 000 jeunes appelés refusent de monter dans les trains, imités le lendemain, par 600 « rappelés » de l'armée de l'Air, gare de Lyon.

À Brive, Perpignan, Bordeaux, ils manifestent leur désaccord avec cette guerre : « La quille ! », « Pas de guerre en Algérie ! », « Les civils avec nous ! »

Le mouvement s'essouffle rapidement faute de soutien des partis politiques traditionnels.

DÉMISSION !

La classe politique est davantage préoccupée par l'instabilité chronique de la IVe République.

LA IVᵉ RÉPUBLIQUE

Impuissants à réunir d'introuvables majorités à l'Assemblée, seize Présidents du Conseil se succèdent entre 1946 et 1958, formant vingt-quatre gouvernements.

SUIVANT !

ASSEMBLÉE NATIONALE

PRÉSIDENT DU CONSEIL

Au 1ᵉʳ février 1956, le socialiste Guy Mollet devient le troisième Président du Conseil depuis le début du conflit algérien.

En ce début d'année 1956, après la victoire aux législatives du Front républicain des radicaux et des socialistes, le socialiste Guy Mollet devient Président du Conseil.

Dans la nouvelle Assemblée, les communistes conservent 144 sièges. On remarque la percée du mouvement de Pierre Poujade, avec 52 sièges, dont l'un est occupé par Jean-Marie Le Pen.

Guy Mollet a fait campagne pour la paix en Algérie et considère que le conflit est « imbécile et sans issue ».

Il décide de remplacer Jacques Soustelle par le général Catroux au poste de gouverneur général de l'Algérie.

Mais alors qu'il avait été peu apprécié à son arrivée, Soustelle est ovationné par une foule de 100 000 Européens venus le soutenir, au moment de son départ d'Alger le 2 février 1956.

SOUSTELLE
SOUSTELLE
SOUSTELLE
SOUSTELLE

Pour asseoir sa politique, Guy Mollet se rend sur le territoire algérien le 6 février...

... où il doit affronter cette même foule qui lui est radicalement hostile.

Il tente de se frayer un chemin parmi les nombreux projectiles et sous les huées de la population européenne. Ce 6 février reste connu sous le nom de « Journée des tomates »

Face à ces manifestations, Guy Mollet capitule et abandonne toute politique de négociation. Catroux est remplacé à son tour par Robert Lacoste.

Sous la pression des Européens d'Algérie, le gouvernement bascule dans la guerre totale.

Le 12 mars 1956, l'Assemblée nationale vote « les pouvoirs spéciaux » en Algérie.

LES POUVOIRS SPÉCIAUX

ZONES D'OPÉRATION

Où l'armée est chargée « d'écraser les rebelles ».

ZONES DE PACIFICATION

Où l'armée doit protéger la population.

ZONES INTERDITES

Où les populations sont évacuées et rassemblées dans des camps et où l'armée peut tirer sur un suspect sans sommation.

C'est ainsi qu'une partie de la population algérienne est déplacée et parquée dans des camps. Il s'agit de la soustraire à l'influence du FLN. Près de deux millions de personnes, majoritairement des paysans, sont ainsi arrachées à leur terre et à leur maison (selon le rapport de Michel Rocard, en 1959).

LES CAMPS D'INTERNEMENT

camps sont créés pour enfermer les musulmans jugés dangereux. Près de 10 000 Algériens ulmans y seront détenus. Quatre camps d'internement seront également créés en métropole.

SAS

Dès le début de la guerre, les autorités décident la création des SAS pour « pacifier » les campagnes algériennes.
Les SAU (section administrative urbaine) sont leur pendant en ville.

Constituées de 1 200 officiers environ, les SAS ont leurs propres chefs militaires.

Leur mission consiste principalement dans la reconquête des populations musulmanes :

Par le développement de l'instruction.

Par l'assistance médicale gratuite.

Par le soutien au développement économique des zones rurales.

SECTION ADMINISTRATIVE SPÉCIALISÉE

Le bureau du SAS est le lien direct et privilégié de l'administration française en Algérie avec la population. Paradoxalement, c'est à partir des SAS que l'État français se préoccupe de l'administration des campagnes dans un pays à 90 % rural.

En tentant de gagner la confiance des populations musulmanes, l'armée cherche à décrédibiliser l'action de l'ALN.

La mission des SAS est aussi d'obtenir des renseignements, voire des ralliements.

Les sections disposent de supplétifs armés, les moghaznis, soldats musulmans. L'expression harkis (« mouvement » en arabe) fait son apparition dans l'année 1955.

Ces efforts de développement survenus plus d'un siècle après la colonisation viennent trop tard. Les SAS ne gagnent pas vraiment la confiance des populations.

Face à l'application des pouvoirs spéciaux, la réaction du FLN ne se fait pas attendre. Quatre jours plus tard, le 16 mars 1956, après des manifestations à Oran, les premiers attentats frappent Alger.

Robert Lacoste impose le couvre-feu dans la ville.

Les autorités françaises redoublent leur politique répressive. Une loi permet de faire condamner à mort par un tribunal militaire (le tribunal des forces armées d'Alger) tout membre du FLN pris les armes à la main. Le 19 juin 1956, Ahmed Zabana est le premier à être guillotiné.

Cette justice expéditive ne sera d'ailleurs jamais remise en cause par le garde des Sceaux de l'époque, François Mitterrand, qui émettra un avis défavorable pour 80 % des recours en grâce qui lui sont soumis.

Ces condamnations renforcent les indépendantistes du FLN dans leur détermination à mener la guerre.

Guy Mollet a d'autres préoccupations à l'été 1956. La nationalisation du canal de Suez décidée par Nasser lui donne l'occasion d'écraser la « rébellion » algérienne qui, à ses yeux, est dirigée depuis Le Caire.

Avec les Britanniques, et l'appui des Israéliens, il prépare une expédition militaire en Égypte en novembre.

Cependant, l'intervention franco-britannique de Suez échoue face au refus des États-Unis et de l'URSS de la soutenir.

Cet épisode aggrave l'isolement de la France sur la scène internationale et à l'ONU.

BIEN SÛR, IL Y A DES CHOSES PERSONNELLEMENT QUE J'AI VÉCUES, QUE J'AI VUES... MAIS, POUR L'INSTANT, JE NE PEUX PAS LES SORTIR...

JEAN-PIERRE GOUAUD
Soldat appelé

DES DEUX CÔTÉS, HEIN! PARCE QUE, VOUS SAVEZ, IL Y EN A EU DES DEUX CÔTÉS. IL Y A EU DES MORTS DES DEUX CÔTÉS.

JE NE ME SENS PAS MÛR POUR RAPPELER CERTAINS SOUVENIRS QUI, BON, NE FONT PAS ME RÉVEILLER LA NUIT, MAIS QUAND MÊME... ÇA ME REVIENT SPORADIQUEMENT... DES IMAGES QUI REVIENNENT, ASSEZ DURES QUELQUEFOIS... JE VOUS AI PARLÉ DE CETTE NUIT, PAR EXEMPLE, PENDANT UN EXERCICE EN ALGÉRIE...

À L'OCCASION D'UN EXERCICE, PENDANT MON INSTRUCTION, J'AI ÉTÉ CONDUIT À L'HÔPITAL, À ALGER. ET J'AI APPRIS QU'IL Y AVAIT LÀ DES GARÇONS, MUTILÉS DANS LEUR VIRILITÉ, POUR RESTER CORRECT — QUI ÉTAIENT MARIÉS, ET QUI NE VOULAIENT PLUS RENTRER CHEZ EUX. ON LES APPELAIT "LES INCONSOLABLES".

C'EST UNE DES IMAGES QUI ME HANTENT. UN HOMME QUI NE VEUT PAS REVOIR SA FEMME, PARCE QU'IL EST MUTILÉ DANS SA VIRILITÉ...

Mes chers parents, ma chère petite Odette.

Il s'est passé un long moment depuis ma dernière lettre. J'espère ne pas vous avoir causé de tracas. Je sais que vous vous inquiétez trop vite. Ma chère petite maman, je suis désolé car je t'imagine avoir eu très peur.

J'usqu'à présent, je m'étais abstenu de vous parler de ce qu'il se passe ici. Mais aujourd'hui, et puisque vous me le demandez, je pense qu'il est normal que j'essaye de vous décrire ce que je vois.

Depuis que je suis arrivé, j'ai été prudent. On part en mission dans le djebel. Il y fait très chaud. Mais on n'a pas à se plaindre. Mes chers parents, je vous le promets, le soir, une fois rentrés, je ne bois que très peu.

PAN

Les journées de "crapahutage" nous épuisent. J'ai de plus en plus de mal à trouver la force de vous écrire le soir. Je me retrouve à m'endormir tout habillé sur la couchette. Mais à part ça, de retour dans des campements, l'ambiance est bonne avec les copains.

ON Y VA!

Je vous l'avais un peu décrite : la condition de vie des gens ici est frappante. Leur état de saleté, les enfants qui viennent mendier... J'ai vu une vieille femme pliée sous le poids d'un baquet d'eau.

Mais partout, l'accueil qu'on nous fait est toujours bon ; bien nourris, bien logés.

Les journées sont longues. Depuis deux jours, dehors, on passe les trois-quarts du temps à marcher dans la nature.

Ma chère petite Odette ! Si tu voyais les paysages d'ici ! Ça n'a rien à voir avec chez nous !

Mais pour ma part, je crois que j'en ai ma claque ; tout ce que je vois, c'est de la caillasse sur laquelle nous grimpons à longueur de journée.

Pendant des heures on fouille les maisons à la recherche de fellas, on rassemble tout le monde au centre du village et on ratisse...

Mais on ne trouve jamais rien. Alors on repart pour des kilomètres de marche.

!

Parlons d'autre chose ! Je vous remercie pour le colis. Il est intact !

Je vous remercie également pour l'argent. Je vais pouvoir acheter un nouveau bracelet à ma montre pour remplacer le mien qui s'est allongé pendant une opération.

AAHHHH!!

MAIS JE VOUS DEMANDERAI SEULEMENT DE M'ENVOYER DEUX PAIRES DE CHAUSSETTES, CAR JE NE TROUVE PAS LE MOYEN D'EN ACHETER ICI.

"... ET CELLES DE L'ARMÉE : IMPOSSIBLE DE LES CHANGER !

MAIS ATTENTION À LA LONGUEUR DES PIEDS ... ET SURTOUT LES FINES NE M'INTÉRESSENT PAS.

POUR ALLER EN OPÉRATION, DANS LES GROS SOULIERS, IL M'EN FAUT DES ÉPAISSES, QUI TIENNENT LA ROUTE. C'EST BIEN CELLES-LÀ QUE JE N'ARRIVE PAS À TROUVER.

JE TERMINE POUR CE SOIR, EN VOUS EMBRASSANT BIEN FORT DE LOIN. VOTRE FILS ET VOTRE FRÈRE QUI PENSE À VOUS. JACQUES.

PIERRE HOYAU
Soldat appelé

MOI, JE SAIS QU'ON A EU DE LA CHANCE, QUAND MON COPAIN A SAUTÉ SUR UNE MINE, QU'ON N'AIT PAS EU UNE OPÉRATION DANS LA FOULÉE. PARCE QUE MÊME MOI QUI NE ME SENTAIS PAS PARTICULIÈREMENT VIRULENT, CE SOIR-LÀ, J'AURAIS ÉTÉ CAPABLE DE FAIRE ... EUH, JE N'ÉTAIS PAS MOI-MÊME.

PARCE QUE LÀ, VRAIMENT, LE VERNIS DE LA CIVILISATION ÉTAIT COMPLÈTEMENT ÉCAILLÉ. C'EST VRAI QUE C'EST UN VERNIS, ET QU'IL EST FRAGILE.

18 mai 1956. Village de Palestro, au nord de l'Algérie.

21 soldats tombent dans une embuscade de l'ALN. Un seul survivra, délivré cinq jours plus tard par des parachutistes.

À la suite de la découverte des corps, 44 Algériens musulmans sont liquidés de façon sommaire au cours de sanglantes représailles et le village de Djerrah détruit en totalité.

L'ÉCHO D'AL

21 jeunes rappelés atrocement massacrés par la population d'un douar passé à la dissidence

17 musa
dont 6 femmes
assassinés par

Avant d'être capturés et tortu...
les malheureux l'é...
jusqu'à la dernie...

...

L'embuscade nourrit les peurs des soldats et devient l'exemple par excellence de ce qu'ils redoutent. Rapporté par les médias, le récit de Palestro résonne jusqu'en métropole.

C'est un choc pour l'opinion publique qui prend pleinement conscience de la violence déchaînée sur le sol algérien. La guerre d'Algérie rentre dans les foyers français.

Au début de l'été 1956, l'ALN est devenue une véritable armée de plusieurs milliers d'hommes fortement équipés grâce au soutien du monde arabe.

Principalement composée de montagnards et de paysans qui connaissent le terrain, l'ALN s'implante dans le « bled » (les campagnes) et mène une guerre de guérilla : marches de nuit et embuscades, refuge dans les montagnes, assaut de convois militaires …

Le 20 août 1956, le FLN décide d'organiser clandestinement le rassemblement des dirigeants du FLN lors de son premier congrès, dans la vallée de la Soummam, en Kabylie. Il est décidé de créer une structure politico-administrative (OPA).

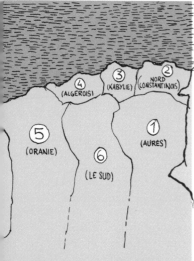

L'Algérie est ainsi divisée en six « wilayas ».

Le FLN met en place une administration civile pour célébrer les mariages, arbitrer les conflits personnels, enregistrer les naissances et collecter les impôts.

Les dirigeants décident également de structurer l'ALN en y instaurant une hiérarchie et des grades.

Sous l'impulsion du dirigeant du FLN Abane Ramdane et de Larbi Ben M'Hidi (responsable de la ville d'Alger), il est décidé de la primauté du politique sur le militaire en vue de créer un État algérien où seraient respectées les libertés de croyance.

Le congrès de la Soummam permet au FLN de se faire reconnaître sur la scène internationale.

Les nationalistes vont bénéficier du soutien financier de l'Égypte de Nasser.

Ils seront également soutenus par la Tunisie et le Maroc qui leur fourniront armes et subsides.

MAROC

ALGÉRIE

TUNISIE

Dès 1955, ils ont trouvé l'appui de l'opinion internationale à la conférence de Bandoeng, en Indonésie, conférence des « non-alignés » face aux deux puissances que sont les USA et l'URSS.

L'ONU s'est saisie de la question algérienne en septembre 1955. Les principaux représentants du FLN à l'ONU sont M'Hamed Yazid et Hocine Aït Ahmed.

Au congrès de la Soummam, le FLN fédère l'ensemble des tendances du nationalisme algérien : anciens partisans de Ferhat Abbas, mouvement des Oulémas et même communistes algériens.

Seuls les activistes du MNA de Messali Hadj refusent de rejoindre le FLN. Le MNA n'accepte pas la mise en place d'un parti unique.

Les deux mouvements vont dès lors s'affronter sur le sol algérien et en métropole.

De 1955 à 1962, les membres du FLN et du MNA vont se livrer à un long combat où tous les moyens sont bons : pièges, paroles trahies, exécutions pour l'exemple, attaques armées et assassinats.

Le moment le plus sanglant de cette confrontation est le massacre des villageois de Melouza, proche du MNA, le 28 mai 1957. 315 hommes sont alors assassinés par un groupe de l'ALN.

MOHAMEDI SAÏD

Colonel de l'ALN,
responsable du
secteur 3
de Melouza

PENDANT TROIS ANNÉES, ON MASSACRAIT DES SOLDATS DE L'ALN ! IL FALLAIT EN FINIR ! C'ÉTAIENT DES TRAÎTRES ! ILS VOULAIENT LAISSER L'ALGÉRIE À LA FRANCE PENDANT QU'UNE AUTRE PARTIE DE L'ALGÉRIE SE BATTAIT POUR LEUR LIBERTÉ, LEUR INDÉPENDANCE, LEUR DIGNITÉ.

C'ÉTAIT UN DEVOIR SACRÉ DE TOUT ALGÉRIEN QUE DE FAIRE LA GUERRE AUX TRAÎTRES. L'ENNEMI NUMÉRO UN ÉTAIT LE TRAÎTRE, LE SOLDAT FRANÇAIS VENAIT APRÈS.

UNE HABITANTE DE MELOUZA

pendant les massacres

ILS ONT JURÉ SUR LE PROPHÈTE QU'ILS NE LEUR FERAIENT RIEN. ILS LES ONT TOUS EMMENÉS. ILS ONT DIT : "C'EST POUR UNE RÉUNION."

VERS 4-5H, ILS LES FAISAIENT SORTIR PAR TROIS OU QUATRE POUR ÊTRE ÉGORGÉS. APRÈS, PAR CINQ... COMME ILS NE POUVAIENT PAS TUER TOUT LE MONDE AVEC LEURS COUTEAUX, ILS ONT TIRÉ, PAR RAFALES. TROIS OU QUATRE SE SONT SAUVÉS.

ILS N'AVAIENT RIEN FAIT. ILS SONT MORTS POUR RIEN. LA FRANCE M'A PRIS MON MARI PENDANT UN AN ET UN JOUR... PARCE QU'ON A TROUVÉ DES ARMES CHEZ NOUS. IL EST REVENU ET LES AUTRES L'ONT TUÉ CINQ JOURS APRÈS.

Sur le sol algérien, le bilan de cette lutte fratricide est très lourd : 4 000 morts et 12 000 blessés.

En Algérie, certains maquis du MNA, dont celui dirigé par Mohammed Bellounis, vont progressivement rejoindre l'armée française.

D'autres vont choisir de continuer le combat contre l'armée française.

Le MNA va ainsi progressivement perdre son influence à l'intérieur de l'Algérie, sous les coups du FLN et de l'armée française.

Messali Hadj lance un appel en septembre 1957 pour une trêve entre le FLN et le MNA. Il est trop tard. Trop de sang a coulé. Le FLN va devenir la principale force politique du nationalisme algérien.

Mais, sur le terrain, le FLN ne parvient pas à s'imposer militairement face à la France.

Le 22 octobre 1956, l'aviation française détourne un avion en provenance du Maroc pour la Tunisie et le contraint à se poser à Alger.

A l'intérieur certains « chefs historiques » du FLN : Ahmed Ben Bella, Hocine Aït Ahmed, Mohamed Boudiaf, Mostefa Lacheraf et Mohamed Khider.

Avec cette arrestation, Robert Lacoste espère avoir « décapité la rébellion ».

Le président du Conseil Guy Mollet nomme alors le général Raoul Salan général en chef de l'armée française. Cet ancien d'Indochine est considéré comme un « stratège » de la guerre contre-révolutionnaire.

A la fin de l'année 1956, le FLN décide de changer de terrain et de porter la guerre au cœur d'Alger.

LA GUERRE CRUELLE
JANVIER 1957 - MAI 1958

LA BATAILLE D'ALGER

AVEC

JACQUES MASSU

YACEF SAADI

ZOHRA DRIF

ROBERT LACOSTE

ABANE RAMDANE

LARBI BEN M'HIDI

ALI LA POINTE

MARCEL BIGEARD

LES PARAS

MASSU FAIT APPEL AUX UNITÉS PARACHUTISTES POUR MENER LA BATAILLE D'ALGER. LES PARAS SONT AURÉOLÉS DU PRESTIGE DE LEUR COMBAT LIVRÉ À DIEN-BEN-PHU.

ILS ONT APPRIS EN INDOCHINE À COMBATTRE UNE GUERILLA RÉVOLUTIONNAIRE.

ILS SONT REVENUS AVEC LE SENTIMENT D'AVOIR ÉTÉ ABANDONNÉS PAR LE POUVOIR POLITIQUE.

POUR LA POPULATION EUROPÉENNE D'ALGÉRIE, LES PARAS VONT INCARNER L'ASPIRATION À LA SÉCURITÉ RETROUVÉE FACE AUX ATTENTATS.

Le général Massu concentre les pouvoirs militaires et les pouvoirs de police. Il dirige la 10e Division de parachutistes, mais aussi la police urbaine et judiciaire. Les militaires s'emparent de force de tous les fichiers policiers de la ville d'Alger pour traquer les hommes du FLN.

Le 7 janvier 1957, 8 000 paras pénètrent dans la ville.

MES FRÈRES! LE COMBAT DOIT CONTINUER!

MALGRÉ L'ARRIVÉE DES FRANÇAIS DANS LA CASBAH, NOUS ALLONS POURSUIVRE NOTRE ACTION ET INTENSIFIER NOS ATTAQUES!

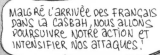

LARBI BEN-M'HIDI

BEAUCOUP D'ENTRE NOUS ONT ÉTÉ RAFLÉS! BEAUCOUP SONT EMMENÉS ET DISPARAISSENT! QUI SAIT SI NOUS LES REVERRONS!?

MES FRÈRES! LA RÉVOLUTION CONTINUE SON INEXORABLE MARCHE! ELLE NE PEUT PAS S'ARRÊTER!

MARS 1957

GROUILLEZ-VOUS! PRENEZ LE MINIMUM, IL NE FAUT PAS TRAÎNER!

ABANE RAMDANE

QUE SE PASSE-T-IL?

ILS S'EN VONT. APRÈS L'ARRESTATION DE LARBI, LE CENTRE DE COMMANDEMENT ET D'EXÉCUTION DU FLN QUITTE ALGER. LES HOMMES DE MASSU NOUS METTENT TROP LA PRESSION.

ON EST INFILTRÉS DE PARTOUT! PAR DES CHIENS! DES TRAÎTRES DE CHIENS! ILS RETOURNENT LEUR VESTE! TU SAIS COMMENT LES FRANÇAIS LES APPELLENT, CES POURRITURES? DES "BLEUS DE CHAUFFE"!

ON MANQUE DE MATÉRIEL. LES FEMMES SE FONT ARRÊTER ET ON N'ARRIVE PLUS À PASSER LES BOMBES AUSSI FACILEMENT.

ON VA CALMER LE JEU PENDANT UN MOMENT. ON VA ESSAYER DE SE RÉAPPROVISIONNER ET D'ATTENDRE QU'ILS BAISSENT LA GARDE.

9 JUIN. DANCING DU CASINO DE LA CORNICHE, DANS LA BANLIEUE D'ALGER. 8 MORTS ET 92 BLESSÉS.

DEPUIS L'ATTENTAT DU 3 JUIN, LE RYTHME DES ATTENTATS S'EST INTENSIFIÉ À NOUVEAU. TOUT CELA DOIT CESSER, VOUS M'AVEZ COMPRIS, GÉNÉRAL ? VOUS AVEZ LES PLEINS POUVOIRS ALORS USEZ-EN TANT QUE LA BRANCHE DU FLN D'ALGER N'EST PAS ANÉANTIE!

NOUS AVONS INFILTRÉ PLUSIEURS CACHES; NOUS AVONS DES INDICS... NOUS SOMMES PRÊTS À EN FINIR AVEC LES TERRORISTES. NOS TROUPES SONT TOUTES À L'AFFÛT POUR LES FAIRE SORTIR DE LEUR TROU, GOUVERNEUR.

NOS HOMMES DEVIENNENT DES EXPERTS POUR LES FAIRE PARLER... CROYEZ-MOI!

LES TÊTES DU FLN VONT BIENTÔT FINIR PAR TOMBER !

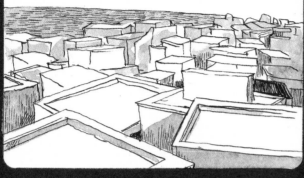

24 SEPTEMBRE 1957.

YACEF!

COUCHE-TOI!

COUCHE-TOI!

ILS T'ONT BALANCÉ, YACEF! ILS VONT TE FAIRE DISPARAÎTRE!

COMME LARBI! YACEF!!

Yacef Saadi arrêté, la bataille d'Alger prend fin.

Ali La Pointe, le bras droit de Saadi, est débusqué le 8 octobre. Cerné, il se fait exploser dans sa cache.

La population européenne redécouvre les plaisirs de la plage et des restaurants.

Les attentats commis par le FLN durant cette période font 300 morts et 900 blessés.

Face aux 5 000 militants que comptait le FLN dans la ville, 10 000 paras ont été mobilisés.

Mais les pratiques des parachutistes du général Massu sont dénoncées dès le 12 septembre 1957 avec la démission du secrétaire général de la police d'Alger, Paul Teitgen. Ce dernier avance le chiffre de 3 024 Algériens « disparus ».

SAÏD FERDI

C'ÉTAIT UN JOUR OÙ UN PRISONNIER S'ÉTAIT ÉVADÉ. C'ÉTAIT LE 3 MARS 1958, J'AVAIS 13 ANS ET DEMI. ET JE FRÉQUENTAIS L'ÉCOLE ARABE, LES MILITAIRES NOUS ONT INTERDIT D'ALLER À L'ÉCOLE. NOUS, ON ALLAIT EN CACHETTE CHEZ UN INSTITUTEUR ARABE.

PUIS UN BEAU MATIN VERS SIX HEURES, JE SORTAIS DE LA MAISON AVEC MES CAHIERS SUR LESQUELS IL Y AVAIT DES CHANSONS PATRIOTIQUES. ET L'ARMÉE FRANÇAISE, LORSQU'ELLE EST PARTIE À LA RECHERCHE D'UN PRISONNIER, ILS M'ONT CROISÉ ET ILS ONT COMMENCÉ À ME POSER DES QUESTIONS: EST-CE QUE J'AI VU UN ÉVADÉ? ALORS JE LEUR AI DIT QUE NON.

ILS ONT COMMENCÉ À CHERCHER DANS MON CARTABLE. ILS ONT TROUVÉ LES CAHIERS AVEC LES CHANSONS, ET LÀ, ILS ONT COMMENCÉ À ME POSER DES QUESTIONS, ET PEU À PEU, À ME TAPER DESSUS, ET AU BOUT DE QUELQUES MINUTES, ILS M'ONT TRAÎNÉ AVEC EUX ET ILS M'ONT EMMENÉ À LA CASERNE.

ET DEPUIS CE JOUR-LÀ, JE SUIS RESTÉ TOUT LE TEMPS... D'ABORD DES INTERROGATOIRES AVEC DES COUPS DE CANNE, DES COUPS DE POING, PUIS APRÈS ILS M'ONT EMMENÉ DANS UNE SALLE... OÙ ILS FAISAIENT PASSER... ILS APPELAIENT ÇA "LA GÉGÈNE"... "TORTURE ÉLECTRIQUE"...

PUIS ÇA A DURÉ COMME ÇA PLUSIEURS HEURES... ET APRÈS, ILS M'ONT ENFERMÉ DANS UN MIRADOR ET JE SUIS RESTÉ LÀ.

MON PÈRE, IL EST ALLÉ SIGNALER MA DISPARITION. LE CAPITAINE, JUSTE AVANT QU'IL VOIE MON PÈRE, IL M'AVAIT DIT : "TU VAS LUI DIRE QUE C'EST DE TOI-MÊME QUE TU RESTES AVEC NOUS." ... POUR CACHER CES TORTURES QU'ILS M'ONT FAITES.

MAIS MON PÈRE VOYAIT BIEN. J'AVAIS LE VISAGE ENFLÉ... J'AVAIS VRAIMENT DES HÉMATOMES PARTOUT. BON, IL VOYAIT BIEN QUE C'ÉTAIT PAS DE MON PROPRE GRÉ.

ET C'ÉTAIT UNE SORTE DE CHANTAGE. ILS M'ONT DIT : "SI JAMAIS TU LUI DIS QUOIQUE CE SOIT, ON VA LE TUER." MOI, J'ÉTAIS JEUNE À L'ÉPOQUE, ALORS J'AI FAIT ÇA POUR ESSAYER DE LE PROTÉGER. ON S'EST PARLÉ PEU. J'ÉTAIS DANS UNE PIÈCE QUAND IL EST ENTRÉ...

ON S'EST DIT DEUX-TROIS MOTS. JE PENSE QU'ON S'EST COMPRIS PAR LE REGARD. ET PUIS, IL EST PARTI, ILS M'ONT GARDÉ AVEC EUX.

PLUS TARD, ILS SONT SORTIS EN PATROUILLE. ILS M'HABILLAIENT EN MILITAIRE, AVEC UN TREILLIS À MA TAILLE. ILS ME FAISAIENT PORTER UNE ARME. MAIS IL N'Y AVAIT PAS DE CARTOUCHES DEDANS. ILS ME FAISAIENT PORTER UNE ARME QUAND MÊME POUR QUE, COMME TOUT LE MONDE ME CONNAISSAIT DANS LE VILLAGE, ME VOYANT PATROUILLER AVEC L'ARMÉE FRANÇAISE, ILS DISENT TOUT DE SUITE : "IL EST EN TRAIN DE DÉNONCER."

POUR MOI, APRÈS, IL ÉTAIT IMPOSSIBLE DE DÉSERTER OU DE FAIRE QUOI QUE CE SOIT. J'ÉTAIS OBLIGÉ D'ACCEPTER MON SORT ET DE RESTER AVEC EUX.

Si la torture était déjà pratiquée avant 1954, son usage se répand à mesure que la guerre se durcit. L'officier Paul Aussaresses révélera plus tard les conditions dans lesquelles la torture a été utilisée massivement pendant la bataille d'Alger. Le général Massu reconnaîtra ce fait avant de mourir, mais Bigeard jamais.

JACQUES MASSU

MARCEL BIGEARD

PAUL AUSSARESSES

En 1959, Massu rédige une directive :

LA PERSUASION RESTE DE MISE, MAIS EN CAS D'ÉCHEC, IL EST FAIT USAGE DE LA COERCITION.

Il conçoit la torture comme un moyen de répondre à la violence

La torture se dissimule sous les termes...

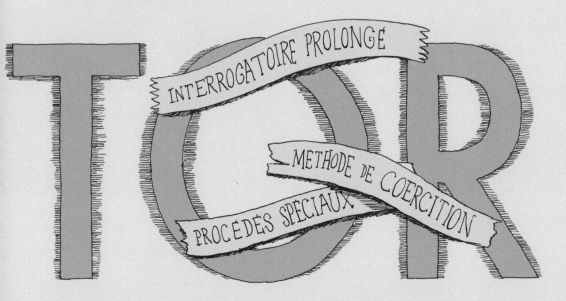

INTERROGATOIRE PROLONGÉ

MÉTHODE DE COERCITION

PROCÉDÉS SPÉCIAUX

Un vocabulaire de la torture désigne par euphémisme...

LES CLIENTS

LES COLIS

LES ENTRANTS

ENTRE DEUX MAUX, CHOISIR LE MOINDRE

CORVÉE DE BOIS   LA GÉGÈNE

Dès 1956, des soldats ont tenté de dénoncer des scènes auxquelles ils ont assisté. Certains font paraître une brochure, « Des rappelés témoignent », dont les récits sont accablants.

Quelques officiers s'opposent à la torture comme le général de la Bollardière qui est relevé de son commandement en 1957. Il est arrêté et interné pendant deux mois et privé de toute responsabilité.

Pourtant, dès 1955, face à des articles parus dans la presse, les autorités ont ordonné une enquête.

Le rapport, daté du 2 mars 1955, reconnaissait des « sévices » « utilisés dans de nombreux cas », « de pratique ancienne », mais qui donnaient des résultats « indiscutables ».

RAPPORT SUR LA TORTURE EN ALGÉRIE MAIS C'EST PAS TRÈS GRAVE.

À l'été 1957, le Président du Conseil Maurice Bourgès-Maunoury déclare devant l'Assemblée :

CE QUE JE PUIS DIRE, C'EST QU'APRÈS LES ENQUÊTES DÉJÀ EFFECTUÉES, JE NE CONNAIS AUCUN FAIT DE TORTURE TEL QUE CEUX QUI ONT ÉTÉ ÉNONCÉS.

L'usage de la torture est connu du gouvernement mais elle reste considérée comme un mal nécessaire.

En 1957, l'opinion publique prend conscience de toute l'ampleur de l'utilisation de la torture, avec la médiatisation de l'affaire Maurice Audin.

Maurice Audin est un jeune mathématicien de 25 ans, membre du Parti communiste algérien. Il fait partie, avec sa femme Josette, de la minorité des Français d'Algérie qui militent pour l'indépendance.

Le 11 juin 1957, il est arrêté à son domicile. Ses proches perdent sa trace à partir de cette date. Personne ne le reverra.

Josette Audin se voit alors confrontée à des discours contradictoires. Une lettre du cabinet de Robert Lacoste, en date du 22 juin, lui assure que son mari est en bonne santé et qu'elle pourra communiquer avec lui très bientôt. Mais, le 1er juillet, on lui affirme que son mari se serait évadé le 21 juin et aurait disparu.

Alors que des bruits courent à Alger selon lesquels Maurice Audin serait secrètement détenu, les parlementaires communistes portent l'affaire à l'Assemblée.
Un comité Maurice-Audin est créé à Paris pour tenter de faire la vérité.

Le Monde

« AUDIN : J'ai la certitude mon mari est mort être au cours d'un interroga

l'Humanité

Face à ces incohérences, Josette Audin porte plainte contre X pour homicide. L'affaire est relayée par *Le Monde* et *L'Humanité*.

En mai 1958, l'historien Pierre Vidal-Naquet publie *L'Affaire Audin* aux éditions de Minuit : il y affirme que Maurice Audin est mort sous la torture le 21 juin 1957.

Plus de quarante ans plus tard, en 2001, Paul Aussaresses avouera qu'il a lui-même ordonné d'interroger et de tuer Maurice Audin.

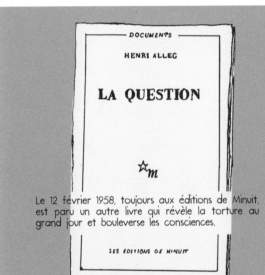

Le 12 février 1958, toujours aux éditions de Minuit, est paru un autre livre qui révèle la torture au grand jour et bouleverse les consciences.

Henri Alleg est un journaliste communiste, directeur du journal *Alger républicain* interdit en 1955. Passé dans la clandestinité, il continue à publier des articles dans *L'Humanité*. Le 12 juin 1957, il est arrêté au domicile de son ami Maurice Audin, arrêté la veille. Il est séquestré et torturé pendant un mois avant d'être envoyé en prison.

Il y rédige *La Question* où il témoigne des brutalités subies. Le livre est censuré, mais diffusé clandestinement à 100 000 exemplaires. Un débat national est ouvert.

Plus largement, la « question algérienne » va susciter l'engagement des intellectuels français.

À l'aube du conflit, en 1955, François Mauriac s'insurge contre la torture. Raymond Aron s'interroge sur la possibilité du passage à l'indépendance de l'Algérie qu'il tient pour inéluctable.

En 1960, Simone de Beauvoir s'engagera aux côtés de l'avocate Gisèle Halimi pour défendre la militante du FLN Djamila Boupacha, victime de tortures et de viols après son arrestation.

Ancienne résistante et ethnologue, Germaine Tillion passe une grande partie de la guerre à pallier la détresse des Algériens en créant des centres sociaux et tentant de les rendre efficaces malgré la guerre.

Jean-Paul Sartre et Albert Camus, deux des grandes figures de l'engagement, vont à nouveau s'opposer sur le conflit algérien.

Camus n'a pas attendu les événements de novembre 1954 pour dénoncer les injustices que subissaient les Algériens musulmans : abus du colonialisme, promesse d'assimilation non tenue, humiliation, mauvaise répartition des terres...

Au moment de l'attribution de son prix Nobel, il aura déclaré : « Je préfère ma mère à la Justice ». Camus vit la guerre d'Algérie comme une tragédie intime. Il ne verra pas la fin du conflit : il meurt dans un accident de la route le 4 janvier 196[...]

Mais, natif d'Algérie, il est déchiré. Il n'est pas d'accord avec les « ultras » de l'Algérie française mais ne peut se résoudre à l'indépendance, ni à l'idée de devenir un jour étranger dans son propre pays. Il prône le compromis entre les deux camps et appelle en janvier 1956 à une « trêve civile ».

FRANCE

ALGÉRIE

ALGÉRIE

ALBERT CAMUS

En 1956, il déclare :

> LE COLONIALISME EST NOTRE HONTE. IL SE MOQUE DE NOS LOIS OU LES CARICATURE ; IL NOUS INFECTE DE SON RACISME. NOTRE RÔLE, C'EST DE L'AIDER À MOURIR. NON SEULEMENT EN ALGÉRIE, MAIS PARTOUT OÙ IL EXISTE.

Face à Camus, Sartre dénonce violemment le colonialisme dans un article publié dans Les Temps modernes.

Avec sa compagne Simone de Beauvoir il soutient les « porteurs de valises », ces militants de gauche qui s'engagent dans l'aide directe aux nationalistes du FLN en transportant clandestinement de l'argent et quelquefois des armes.

Ce qui lui vaudra de voir son appartement parisien plastiqué par les activistes de l'Algérie française.

JEAN-PAUL SARTRE

Sur le terrain, en septembre 1957, la stratégie du général Salan semble porter ses fruits. Les méthodes de combat des paras et des légionnaires se révèlent payantes, l'efficacité du renseignement et la flotte d'hélicoptères sont des atouts non négligeables.

Si l'ALN souffre de lourdes pertes, elle continue de bénéficier d'armes et du renfort de troupes entraînées en Tunisie et au Maroc.

Le ministre de la défense André Morice décide alors de construire un barrage électrifié et miné à la frontière tunisienne pour isoler l'ALN. « La ligne Morice ». Si les troupes de l'ALN pouvaient franchir ce barrage, la coupure du réseau électrique signalait leur passage.

Salan développe l'action sociale des SAS, qui favorisent le renseignement et gênent le recrutement et les liaisons du FLN-ALN.

Autre atout pour les troupes françaises : l'apport de recrues issues de la population musulmane et qu'on appelle : les « harkis ».

UN HARKI
Anonyme

J'HABITAIS DANS UNE FERME PRÈS DE SIDI-BEL-ABBÈS, JE SUIS DEVENU HARKI EN 1958.

AVEC LE DÉPLACEMENT DES POPULATIONS ET LE QUADRILLAGE DE CERTAINES RÉGIONS, IL ÉTAIT DE PLUS EN PLUS DIFFICILE DE TROUVER DU TRAVAIL. A LA SUITE DE RÉUNIONS ORGANISÉES PAR DES RESPONSABLES DU FLN, DEUX DE MES FRÈRES SONT MONTÉS DANS LE MAQUIS.

JE VOULAIS LES SUIVRE, MAIS MON PÈRE S'Y EST OPPOSÉ. IL S'INQUIÉTAIT DE SAVOIR QUI ALLAIT NOURRIR TOUTE LA FAMILLE TRÈS NOMBREUSE.

IL M'A CONSEILLÉ DE REJOINDRE L'ARMÉE FRANÇAISE POUR ÊTRE TRANQUILLE DES DEUX CÔTÉS.

POUR ME CONVAINCRE, JE ME SOUVIENS QU'IL M'AVAIT MONTRÉ UNE PHOTO DE MON GRAND-PÈRE PENDANT LA PREMIÈRE GUERRE MONDIALE, QUI ÉTAIT BEAU ET FIER DANS SON UNIFORME DE L'ARMÉE FRANÇAISE.

Voici l'image du fellaga :

PARTOUT OÙ LE FELLAGA PASSE IL NE RESTE PLUS RIEN !

IL PREND **VOTRE ARGENT**
IL PREND **VOS FILS**
IL DÉTRUIT LES **ÉCOLES**
IL RUINE LES **DISPENSAIRES**
IL BRÛLE VOS **RÉCOLTES**
IL COUPE LES POTEAUX DU **TÉLÉPHONE** ET DU **TÉLÉGRAPHE**

SON PASSAGE SIGNIFIE :
RUINE, DEUIL, LARMES, FAMINE ET **MISÈRE**

VOUS LUTTEZ CONTRE LES SAUTERELLES LUTTEZ AUSSI CONTRE LE FELLAGA LA SAUTERELLE D'AUJOURD'HUI

Rangez-vous résolument aux côtés de

L'ARMÉE DE PACIFICATION

Les raisons de leur engagement sont multiples : peur des forces de l'ALN-FLN, attachement à la France, attrait de la solde, vendetta familiale...

Mettre en avant ces troupes composées « d'indigènes musulmans » est un moyen de montrer à l'opinion publique et internationale que des musulmans d'Algérie se battent aux côtés de l'armée française.

La majorité des harkis restent rattachés à leur village et gardent le contact avec leur famille.

11 janvier 1958, près de la frontière tunisienne,
une section d'appelés tombe dans une embuscade.

Sur les 50 soldats français pris pour cible ce jour-là, 4 sont faits prisonniers et emmenés en Tunisie, dans le village de Sakiet Sidi Youssef.

La tension entre la Tunisie et la France s'intensifie. À Paris, on reproche au président Bourguiba de vouloir internationaliser la guerre d'Algérie.

SAKIET SIDI YOUSSEF

ALGÉRIE

TUNISIE

Le 8 février, Salan autorise une colonne de 25 avions dont 11 bombardiers à poursuivre une colonne de l'ALN en territoire tunisien.

Le village de Sakiet Sidi Youssef est bombardé.

69 civils sont tués. 130 sont blessés.

Cet épisode est un désastre pour l'image de la France au plan international. Elle est contrainte d'accepter une mission anglo-américaine qui doit se prononcer sur la présence française en territoire tunisien.

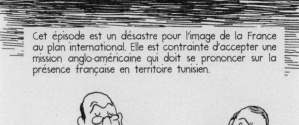

Le discrédit de la France à l'ONU profite aux nationalistes du FLN, qui savent que leur combat se joue aussi sur la scène diplomatique. Il s'agit de faire reconnaître la légitimité de leur lutte et leur droit à l'indépendance.

Dès le début de l'année 1958, les combattants algériens commencent à bénéficier d'armes livrées par les pays de l'Est, qui transitent par la Yougoslavie et la Tunisie.

MADE IN RUSSIA

La pression internationale affaiblit davantage encore la IVᵉ République, fragilisée par la valse des gouvernements.

Au sommet de l'État, l'impuissance règne.

La monnaie française perd de sa valeur.

Après un mois sans président du Conseil, le président René Coty fait appel, le 13 mai 1958, au centriste Pierre Pflimlin.

Celui-ci a publiquement annoncé son intention d'ouvrir les négociations avec le FLN.

En Algérie, la population européenne et l'armée redoutent par-dessus tout que le gouvernement finisse par « abandonner » l'Algérie.

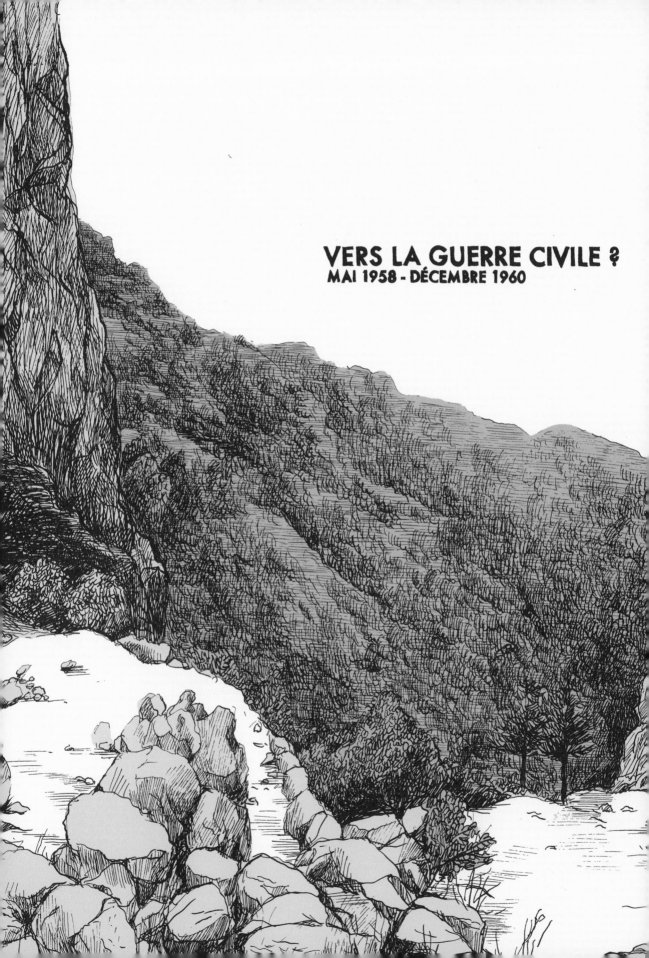

VERS LA GUERRE CIVILE ?
MAI 1958 - DÉCEMBRE 1960

13 mai 1958, devant le gouvernement général d'Alger.

Des étudiants partisans de l'Algérie française manifestent avec le soutien des officiers français. Ils sont rejoints par une foule d'Européens et par des musulmans favorables à la présence française.

Le gouvernement général est pris d'assaut. La situation échappe complètement au gouvernement.

Une délégation militaire, composée de Salan et Massu, prend le contrôle du gouvernement général.

Dans la foulée, Salan réclame le retour au pouvoir du général de Gaulle.

Dans une lettre adressée au Président de la République, Massu déclare la création d'un Comité de salut public pour rétablir l'ordre et la légitimité française en Algérie.

Alors que la rumeur de son retour enflait depuis quelques mois, de Gaulle sort de sa retraite et déclare le 15 mai :

JE SUIS PRÊT à ASSUMER LES POUVOIRS DE LA RÉPUBLIQUE.

Certains redoutent qu'il ne prenne le pouvoir par la force. A gauche, on crie au coup d'État militaire.

CROIT-ON QU'à 67 ANS JE VAIS COMMENCER UNE CARRIÈRE DE DICTATEUR ?

L'armée n'obéit plus au gouvernement et on craint une guerre civile.

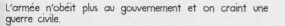

ALGÉRIE

Le bruit court que les paras en Algérie préparent une opération pour débarquer en métropole.

PARIS

ALGER

Le président Coty fait alors appel au « plus illustre des Français ». Le général de Gaulle s'entretient avec Pflimlin dans la nuit du 26 au 27 mai. Pflimlin démissionne.

Le Général annonce alors entamer « le processus nécessaire à l'établissement d'un gouvernement capable d'assurer l'unité du pays ».

"JE VOUS AI COMPRIS !"

"JE SAIS CE QU'IL S'EST PASSÉ ICI. JE VOIS CE QUE VOUS AVEZ VOULU FAIRE. JE VOIS QUE LA ROUTE QUE VOUS AVEZ OUVERTE EN ALGÉRIE, C'EST CELLE DE LA RÉNOVATION ET DE LA FRATERNITÉ. JE DIS "LA RÉNOVATION" À TOUS ÉGARDS. MAIS, TRÈS JUSTEMENT, VOUS AVEZ VOULU QUE CELLE-CI COMMENCE PAR LE COMMENCEMENT, C'EST-À-DIRE PAR NOS INSTITUTIONS, ET C'EST POURQUOI ME VOILÀ !"

"ET JE DIS "LA FRATERNITÉ", PARCE QUE VOUS OFFREZ CE SPECTACLE MAGNIFIQUE D'HOMMES QUI, D'UN BOUT À L'AUTRE, QUELLE QUE SOIT LEUR COMMUNAUTÉ, COMMUNIENT DANS LA MÊME ARDEUR ET SE TIENNENT PAR LA MAIN."

EH BIEN, DE TOUT CELA, JE PRENDS ACTE AU NOM DE LA FRANCE, ET JE DÉCLARE QU'À PARTIR D'AUJOURD'HUI, LA FRANCE CONSIDÈRE QUE, DANS TOUTE L'ALGÉRIE, IL N'Y A QU'UNE SEULE CATÉGORIE D'HABITANTS : IL N'Y A QUE DES FRANÇAIS À PART ENTIÈRE, AVEC LES MÊMES DROITS ET LES MÊMES DEVOIRS.

es jours qui suivent son accession au pouvoir, de Gaulle ·oyage dans une grande partie de l'Algérie, enchaînant ·s discours. S'il évoque une seule fois « l'Algérie ·rançaise », lors de sa visite à Mostaganem, il n'aborde ·as concrètement la question de l'avenir du territoire ·lgérien.

Il entend restaurer l'autorité de l'État et proposer un changement de régime qui donnera au président des pouvoirs renforcés.

Le 28 septembre 1958, la France et l'Union française (colonies et anciennes colonies) doivent se prononcer par référendum sur cette nouvelle constitution.

En Algérie, pour la première fois, les femmes musulmanes peuvent voter.

À 79,25% des voix, le « oui » l'emporte largement. La nouvelle constitution est promulguée le 4 octobre et la Vᵉ République est proclamée le jour suivant.

Le 21 décembre, de Gaulle est élu président de la République par un collège de grands électeurs (le suffrage universel direct n'est instauré qu'en 1962).

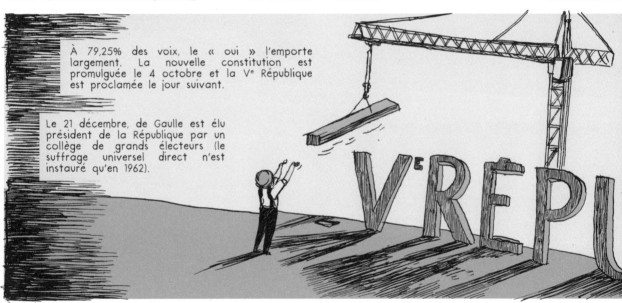

Le 3 octobre, de Gaulle a annoncé un vaste plan d'investissements en Algérie : grands travaux et scolarisation progressive des jeunes musulmans. C'est le « plan de Constantine ».

De Gaulle demande également à l'armée de lancer une grande offensive contre l'ALN.
C'est ce qu'on appelle le « Plan Challe » du nom du général Challe, nommé nouveau commandant en chef en Algérie, après que Salan a été renvoyé à Paris.

Durant l'année 1959, l'armée cherche à écraser les indépendantistes par tous les moyens. Elle utilise notamment des bombes au napalm. 400 000 hommes sont présents en Algérie. Challe lance de grandes opérations contre les maquis des Aurès, de Kabylie et sur l'ensemble du territoire algérien.

L'armée française parvient aussi à faire croire aux chefs militaires nationalistes algériens qu'il y a des espions au sein de leurs troupes.
Par crainte d'être trahis, ces officiers de l'ALN se retournent contre leurs propres soldats.
Les morts sont nombreux du côté algérien.

L'armée française arrête un grand nombre de « suspects ».
L'offensive française oblige les troupes de l'ALN à se replier dans les montagnes...

...tandis que la population déplacée massivement vient grossir les camps d'internement et de regroupement.

Ces camps inquiètent de plus en plus l'opinion. Le 5 janvier 1960, *Le Monde* publie le rapport de la Commission internationale qui fait grand bruit, tandis que le jeune haut fonctionnaire Michel Rocard adresse un rapport critique sur le sujet au garde des Sceaux, où il fait état de 2 millions de déplacés.

L'armée française a l'impression d'avoir remporté la victoire sur le terrain militaire.
Pour de Gaulle, il s'agit surtout d'affaiblir considérablement le GPRA naissant dans la perspective d'une négociation future. Le malentendu commence entre de Gaulle et son armée.

La bataille se déroule aussi dans le désert du Sahara.

En juin 1956, un immense gisement de pétrole a été découvert à Hassi Messaoud.

Dès lors, les richesses pétrolières du Sahara deviennent un enjeu crucial.

Des combats sporadiques mais violents se déroulent dans l'immensité saharienne.

Le responsable FLN de la wilaya 6, Si El Haouès, est tué par l'armée française en 1959, privant ce territoire, grand comme quatre fois la France, d'une véritable direction politique.

Si les indépendantistes sont en difficulté sur le terrain militaire, ils ont formé un gouvernement qui peut être officiellement reconnu par certains États.

Les autorités françaises prétendaient ne pas avoir d'interlocuteur légitime dans la négociation. Les chefs du FLN cherchent à les mettre devant le fait accompli.

Le 19 septembre 1958 a été créé le Gouvernement provisoire de la République algérienne, le GPRA, présidé par Ferhat Abbas.

En même temps est créé un état-major général de l'ALN, sous la direction du colonel Houari Boumediene, pour réorganiser l'Armée de libération nationale, cantonnée depuis les récentes défaites aux frontières marocaine et tunisienne.

« L'armée des frontières » et le GPRA vont bientôt se retrouver en lutte pour le pouvoir, l'un soupçonnant l'autre de vouloir l'évincer dans la conquête de l'indépendance.

Boumediene réussit à rallier les « chefs historiques » alors emprisonnés : Ahmed Ben Bella, Mohammed Khider et Rabah Bitat.

Quoi qu'il en soit, les autorités françaises doivent désormais prendre en compte l'existence du GPRA. Pourtant, le 23 octobre 1958, le général de Gaulle ne privilégie pas la négociation

ET CEPENDANT, JE DIS, SANS EMBARRAS, QUE POUR LA PLUPART D'ENTRE EUX, LES HOMMES DE L'INSURRECTION ONT COMBATTU COURAGEUSEMENT. QUE VIENNE LA PAIX DES BRAVES ! ET JE SUIS SÛR QUE LES HAINES IRONT EN S'EFFAÇANT... J'AI PARLÉ DE PAIX DES BRAVES ... QU'EST-CE A' DIRE ? TOUT SIMPLEMENT CECI : QUE CEUX QUI ONT OUVERT LE FEU LE CESSENT. ET QU'ILS RETOURNENT SANS HUMILIATION A' LEUR FAMILLE ET A' LEUR TRAVAIL.

De Gaulle propose aux combattants algériens de se rendre, dans l'honneur.

Le FLN rejette cette offre et va même intensifier son action, notamment en métropole.

La politique sociale de la France sur le territoire algérien n'a pas été efficace. À l'aube de 1959, la situation de la population algérienne ne s'améliore pas. Depuis 1955, seulement 45 000 emplois ont été créés. Le chômage s'accroît alors que la démographie a considérablement augmenté.

Faute de trouver du travail sur place, l'émigration semble la seule issue pour beaucoup d'Algériens

Entre 1954 et 1962, l'émigration algérienne vers la France, où des emplois ont été laissés vacants par les hommes du contingent envoyés en Algérie, est multipliée par deux.

Paradoxalement, les Algériens émigrent ainsi en masse vers le pays qui leur fait la guerre, un pays qui connaît alors une expansion économique et industrielle.

Le FLN va profiter de cette présence algérienne en métropole pour y ouvrir un second front.

La Fédération de France du FLN, dirigée par Omar Boudaoud et Ali Haroun, va ainsi importer à partir d'août 1958 les attentats sur le sol de la métropole. Ils visent des postes de police, des entreprises, des cibles militaires ou politiques.

Les attaques du FLN vont également cibler le MNA rival de Messali Hadj, présent sur le territoire français. Cette guerre fratricide fera 4 000 morts et 12 000 blessés dans la communauté algérienne sur le sol de métropole.

Le FLN en France met surtout en place une collecte régulière et efficace, parfois forcée, auprès des adhérents du mouvement.

Cet argent sert à l'achat d'armes et au soutien des familles de prisonniers.

CE QU'IL SE PASSE EN ALGÉRIE ? LÀ-BAS ? OH... ÇA COMMENCE À FAIRE BIEN LONG TOUT ÇA. ON NE SAIT PLUS TROP QUOI PENSER...

VOILÀ QU'ILS VIENNENT JUSQU'ICI ! VOUS AVEZ ENTENDU TOUS CES GENS QUI SONT TUÉS EN CE MOMENT ? ÇA S'INSTALLE EN FRANCE, MAINTENANT !

FRANCHEMENT, QU'EST-CE QU'ON FOUT ENCORE LÀ-BAS ? QU'ON LEUR RENDE, MERDE, LEUR PAYS... ON N'A RIEN À Y FAIRE.

MON FRÈRE ET MA BELLE-SŒUR HABITENT LÀ-BAS... EH BIEN, ILS NOUS AVAIENT PRÉVENUS DE CE QUI ALLAIT ARRIVER ICI SI ON NE SERRAIT PAS LA VIS, AUX ARABES EN ALGÉRIE ! ILS ONT DE LA CHANCE QUE JE SOIS TROP VIEUX POUR ALLER LEUR BOTTER LE CUL !

VOUS SAVEZ QUOI ? J'AI HONTE ! QU'EST-CE QUE C'EST, RÉELLEMENT, TOUT ÇA ? LA TENTATIVE DÉSESPÉRÉE D'UN VIEUX PAYS DE GARDER SON EMPIRE COLONIAL ? MAIS DE QUEL DROIT, DITES ?!

OH... MOI... JE PENSE QUE C'EST BIEN DIFFICILE LÀ-BAS... ALORS OUI, ON COMMENCE À ENTENDRE DES HISTOIRES ICI AUSSI MAIS... JE NE SAIS PAS...

FRANCHEMENT J'AIMERAIS Y ALLER ! PRENDRE LES ARMES AVEC LE FLN ! LES AIDER À GAGNER LEUR INDÉPENDANCE !

TOUTES CES HISTOIRES D'ARABES, ÇA NE ME CONCERNE PAS ! TANT QU'ILS RESTENT LÀ-BAS À S'ENTRETUER !

JE NE DEVRAIS PAS VOUS LE DIRE... MAIS ON EST QUELQUES-UNS À NE PAS SUPPORTER CETTE SITUATION ET À PENSER QU'EN TANT QUE PATRIOTE ÊTRE FRANÇAIS, DANS SON HONNEUR, C'EST D'AIDER LES ALGÉRIENS À ÊTRE INDÉPENDANTS... ALORS... NOUS... ON LES AIDE, ICI...

En métropole, l'opinion publique commence à trouver que cette guerre qui ne dit pas son nom dure trop longtemps, qu'elle envoie ses fils à la mort, divise la population et ternit l'image du pays à l'étranger.

Des Français en métropole en viennent à soutenir discrètement l'action du FLN.

Un réseau est mis en place, dont les membres vont régulièrement collecter argent et faux papiers pour le compte du FLN et transporter parfois des armes. Ce sont les « porteurs de valises ».

Communistes dissidents, chrétiens de gauche, syndicalistes, trotskistes et intellectuels, ils sont dirigés par le philosophe Francis Jeanson.

Le réseau Jeanson sera démantelé en février 1960. Six Algériens et dix-huit Français sont inculpés. Leurs avocats s'efforceront de faire durer la procédure et de sensibiliser l'opinion publique à la cause algérienne.

Alors qu'on l'accuse d'avoir trahi la France, Francis Jeanson se défend en argumentant qu'il a été fidèle à l'idéal républicain.

JEAN-PAUL RIBES

Journaliste et écrivain.

> QU'EST-CE QU'ON AVAIT COMME SOLUTION ? SE TAIRE ? LA PLUS MAUVAISE SOLUTION.

> C'EST-À-DIRE ÊTRE COMPLICE DE TOUTES LES HORREURS, SUIVRE UNE POLITIQUE ET ÊTRE COMPLICE DE CE QUE JE CONSIDÉRAIS COMME INACCEPTABLE ? CE N'ÉTAIT PAS POSSIBLE.

> ALLER À L'ENCONTRE DE CETTE POLITIQUE, DONC TRAHIR, APPAREMMENT, MON PAYS ?

> MAIS EN RÉALITÉ, LE DÉFENDRE ! DÉFENDRE L'IMAGE, L'IDÉE QUE J'AVAIS DE LA FRANCE.

> C'EST EN DÉFINITIVE CE QUE LES CIRCONSTANCES NOUS ONT AMENÉS À FAIRE.

Alors que l'économie est à la peine en Algérie, celle de la France se redresse.

Les soldats ont repris progressivement le contrôle du maquis.

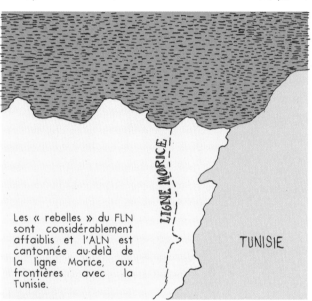

LIGNE MORICE

TUNISIE

Les « rebelles » du FLN sont considérablement affaiblis et l'ALN est cantonnée au-delà de la ligne Morice, aux frontières avec la Tunisie.

Les offensives du général Challe semblent avoir porté leurs fruits.

Cependant... 16 septembre 1959 :

COMPTE TENU DE TOUTES LES DONNÉES, ALGÉRIENNES, NATIONALES ET INTERNATIONALES, JE CONSIDÈRE COMME NÉCESSAIRE QUE CE RECOURS À L'AUTODÉTERMINATION SOIT PROCLAMÉ AUJOURD'HUI. JE POSERAI LA QUESTION AUX ALGÉRIENS, EN TANT QU'ILS SONT DES INDIVIDUS. CAR, DEPUIS QUE LE MONDE EST LE MONDE, IL N'Y A JAMAIS EU D'UNITÉ, NI À PLUS FORTE RAISON DE SOUVERAINETÉ ALGÉRIENNE : CARTHAGINOIS, ROMAINS, VANDALES, BYZANTINS, ARABES DE SYRIE, ARABES DE CORDOUE, TURCS, FRANÇAIS ONT TOUR À TOUR PÉNÉTRÉ LE PAYS SANS QU'À AUCUN MOMENT ET D'AUCUNE FAÇON IL Y AIT EU UN ÉTAT ALGÉRIEN. QUANT À LA DATE DU VOTE, JE LA FIXERAI LE MOMENT VENU, MAIS AU PLUS TARD 4 ANNÉES APRÈS LA PAIX REVENUE : J'ENTENDS PAR LÀ UNE SITUATION TELLE QU'EMBUSCADES ET ATTENTATS NE COÛTERONT PAS LA VIE DE PLUS DE 200 PERSONNES EN UN AN.

Le mot est lâché.

L'autodétermination permettra au peuple algérien de disposer de lui-même. C'est-à-dire de choisir entre l'association avec la France, l'intégration ou la sécession.

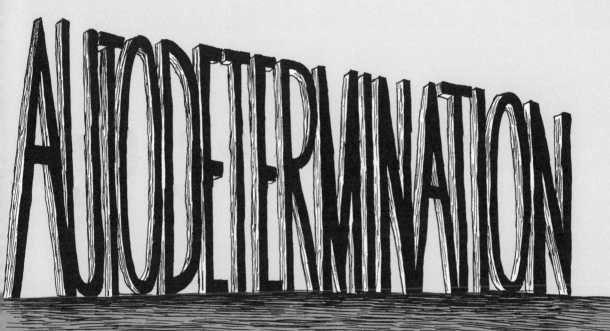

En prononçant ce discours, le 16 septembre 1959, De Gaulle s'oriente vers la solution de l'association, celle d'une Algérie indépendante liée à la France.

C'est un basculement politique décisif.

Comment expliquer ce revirement alors que le général de Gaulle a été porté au pouvoir par les défenseurs de l'Algérie française ?

Rétrospectivement, le « Je vous ai compris » du 13 mai 1958 apparaît comme un constat plus que comme un engagement.

Et même s'il a dit : « Vive l'Algérie française ! » à Mostaganem, il ne l'a jamais répété.

Depuis lors, il a régulièrement laissé planer le doute sur ses intentions :

L'ÉVOLUTION NÉCESSAIRE DE L'ALGÉRIE DOIT S'ACCOMPLIR DANS LE CADRE FRANÇAIS.

L'ALGÉRIE DE PAPA EST MORTE, ET SI ON NE LE COMPREND PAS, ON MOURRA AVEC ELLE.

Cette ambiguïté n'avait pas été perçue par les partisans de l'Algérie française qui se raccrochaient au souvenir du 13-Mai.

JE VOUS AI COMPRIS

L'évocation de l'autodétermination du peuple algérien dans le discours de de Gaulle du 16 septembre 1959 est pour eux une véritable douche froide. Ils crient aussitôt à la trahison.

Le camp gaulliste est divisé. Neuf députés quittent le parti, et le successeur de Jean Moulin au Conseil national de la Résistance, Georges Bidault, crée le Rassemblement pour l'Algérie française, qui sera rejoint entre autres par Jean-Marie Le Pen.

Le 18 janvier 1960, le journal allemand *Süddeutsche Zeitung* publie une interview dans laquelle le général Massu déclare que l'armée, « qui a la force » et « la fera intervenir si la situation le demande », ne comprend plus la politique algérienne du Général.

Massu dément, mais il est aussitôt congédié et remplacé par le général Jean Crépin.

ALGÉRIE FRANÇAISE

En ce début d'année 1960, la guerre d'Algérie entre dans une nouvelle phase, celle d'un affrontement franco-français. Certains vont vouloir « mourir pour l'Algérie ».

LES PIEDS-NOIRS

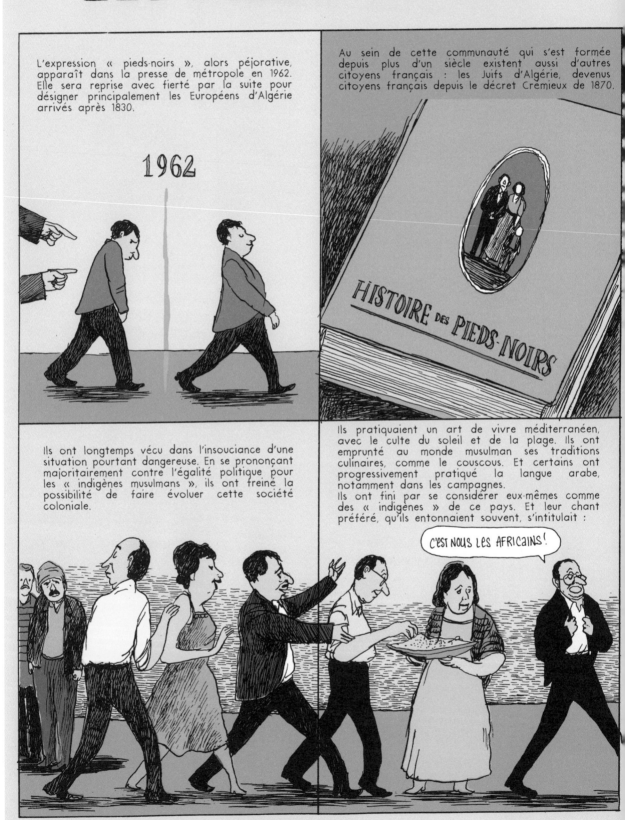

L'expression « pieds-noirs », alors péjorative, apparaît dans la presse de métropole en 1962. Elle sera reprise avec fierté par la suite pour désigner principalement les Européens d'Algérie arrivés après 1830.

1962

Au sein de cette communauté qui s'est formée depuis plus d'un siècle existent aussi d'autres citoyens français : les Juifs d'Algérie, devenus citoyens français depuis le décret Crémieux de 1870.

HISTOIRE DES PIEDS-NOIRS

Ils ont longtemps vécu dans l'insouciance d'une situation pourtant dangereuse. En se prononçant majoritairement contre l'égalité politique pour les « indigènes musulmans », ils ont freiné la possibilité de faire évoluer cette société coloniale.

Ils pratiquaient un art de vivre méditerranéen, avec le culte du soleil et de la plage. Ils ont emprunté au monde musulman ses traditions culinaires, comme le couscous. Et certains ont progressivement pratiqué la langue arabe, notamment dans les campagnes.
Ils ont fini par se considérer eux-mêmes comme des « indigènes » de ce pays. Et leur chant préféré, qu'ils entonnaient souvent, s'intitulait :

C'EST NOUS LES AFRICAINS !

Les pieds-noirs d'Algérie sont fortement enracinés dans le territoire.

Plusieurs générations s'y sont succédé, parfois depuis 1830. Certains n'ont jamais quitté l'Algérie. Pour eux, la France métropolitaine est un pays lointain.

ALGÉRIE

Au lendemain de la déclaration de De Gaulle, la plupart ressentent un sentiment d'abandon.

Et surtout de crainte, car, en minorité sur le territoire, ils se retrouveraient devant un dilemme douloureux si l'armée venait à quitter le pays : partir ou mourir.

ÉVIDEMMENT, S'ILS FINISSENT PAR FAIRE LA LOI ICI, C'EN EST FINI POUR NOUS! ON EST MORTS!

MAIS ENFIN! ILS AURAIENT LEUR PAYS, ILS NOUS LAISSERAIENT EN PAIX ICI...

TU ES NAÏF OU QUOI? LES RATONNADES, LES TORTURES, TOUS LES MORTS DE LEUR CÔTÉ... QU'EST-CE QUE TU CROIS? UNE FOIS L'ARMÉE PARTIE, ILS VONT VOULOIR SE VENGER SUR LES PREMIERS FRANÇAIS QU'IL TROUVERONT ET VOUDRONT LES ÉGORGER... L'ARMÉE NE PEUT PAS NOUS LAISSER TOMBER. DE GAULLE DOIT NOUS SOUTENIR! C'EST CHEZ NOUS ICI.

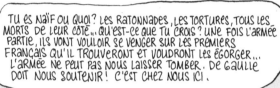

QU'EST-CE QU'ON FAIT? ON Y VA ALORS?

TU CROIS VRAIMENT QU'ON A LE CHOIX?

24 janvier 1960

PIERRE LAGAILLARDE
(PRÉSIDENT DES ÉTUDIANTS)
D'ALGER

JO ORTIZ
(PROPRIÉTAIRE DU BAR)
DU FORUM, ALGER

Première journée d'affrontements, boulevard Laferrière, à Alger. On dénombre 14 morts chez les gendarmes et 6 chez les manifestants.

29 janvier 1960

L'ORGANISATION REBELLE PRÉTEND NE CESSER LE FEU QUE SI, AU PRÉALABLE JE TRAITE AVEC ELLE PAR PRIVILÈGE DE L'AVENIR POLITIQUE DE L'ALGÉRIE, CE QUI REVIENDRAIT À LA BÂTIR ELLE-MÊME COMME LA SEULE REPRÉSENTATION VALABLE ET À L'ÉRIGER PAR AVANCE EN GOUVERNEMENT DU PAYS. CELA JE NE LE FERAI PAS.

Après avoir tenu pendant une semaine un camp retranché au centre d'Alger, Ortiz s'enfuit et Lagaillarde est arrêté.

« La semaine des barricades » témoigne d'une réelle fracture entre ceux qui soutiennent la politique de De Gaulle et la population européenne d'Algérie.

Le lendemain, De Gaulle s'inquiète d'une nouvelle rébellion militaire de la part de ses officiers.

Il fait remplacer le général Challe. Soustelle quitte le gouvernement...

L'Assemblée nationale prolonge une nouvelle fois les pouvoirs spéciaux pour un an pour « le maintien de l'ordre et la sauvegarde de l'État ».

POUVOIRS SPÉCIAUX

Du 3 au 5 mars 1960, de Gaulle entreprend « la tournée des popotes » en Algérie et déclare, pour rassurer et galvaniser les soldats, que le problème algérien ne sera réglé qu'avec une victoire militaire de la France.

Il sait pourtant que la solution sera politique

Parmi les appelés, si certains conservent leur volonté de se battre, d'autres ressentent une lassitude du combat et la nausée de la guerre.

Chers parents,
Nous sommes saufs !

Cette nuit nous avons traversé la frontière à dos de chameau. Nous sommes maintenant chez les parents du jeune que j'ai libéré. Il a vingt ans. et s'appelle Mohammed. La joie qu'ont eue les siens à le revoir alors qu'ils le croyaient mort m'a payé au centuple pour tout ce que l'avenir me réserve de mal. Quoi qu'il me réserve, je ne regretterai pas ce que j'ai fait, car je ne me suis jamais senti aussi en paix avec moi-même et aussi libre.

Carte de Famille
Algérienne

CARTE N° : 761 U2B5

NOM DU CHEF
DE FAMILLE : Favrelière Noël.

ADRESSE : Tunis

RÉSIDENCE EN ALGÉRIE : Alger
DATE D'ARRIVÉE EN TUNISIE : 1957
CARTE ÉTABLIE LE : 1-1-62
GOUVERNERAT DE : Tunis
DÉLÉGATION DE :

NOMBRE TOTAL DE
PERSONNES : 1

Jaurès disait : "l'homme libre, c'est celui qui va jusqu'au bout de ses convictions." Je suis allé jusqu'au bout et je suis décidé à y rester. On y doit bien —

Pa, tu sais très bien que je n'ai pas trahi mon pays, mais que, bien au contraire, c'est maintenant que je le sers en empêchant les Algériens de haïr cette France qu'ils ont aimée. Parmi eux, je suis la preuve que tous les français ne sont pas colonialistes, et tous les paras, des S.S. Si j'avais agi autrement, si j'avais laissé assassiner Mohammed, je crois bien que je n'aurais plus jamais osé te regarder en face, toi, le résistant, qui m'as crié : " Ne deviens pas un boche ! "

Je sais que tu es avec moi, j'en suis sûr, mais j'aimerais que tu me le dises. Après ça, quoi que l'on me dise, quoi que l'on me fasse, rien ne pourra entamer ma joie. La joie de te savoir à mon côté et aussi celle que procure la certitude d'avoir raison. Et parce que nous avons raison, dans les temps à venir nous aurons raison.

Je vous écrirai très prochainement et peut-être alors aurai-je une adresse à vous donner.

Je vous aime et je vous embrasse.

Noël.

Noël Favrelière n'obtient l'annulation des peines qui pèsent contre lui qu'en 1966.
On estime à un millier le nombre des déserteurs et insoumis.

Au printemps 1960, l'armée française pense avoir gagné la guerre sur le terrain. Dans la région d'Oran, on peut à nouveau circuler en voiture sans escorte dans les campagnes.

Le GPRA a clairement annoncé en septembre 1959 qu'il ne négocierait avec la France qu'en vue de l'indépendance et non de l'autonomie, ce qui a été rejeté par le gouvernement.

Pourtant, certains chefs nationalistes à l'intérieur du pays tentent de contacter des officiers français pour entamer des négociations avec la France.

FRANCE

Des premiers pourparlers entre le FLN et les autorités françaises sont organisés à Melun le 25 juin 1960.

La rencontre est secrète, mais des fuites laissent filtrer l'information. Un immense espoir de voir la paix et le retour des soldats grandit en métropole.

Ferhat Abbas et Lakhdar Ben Tobbal parcourent le monde au nom du GPRA pour recueillir le soutien de la diplomatie internationale.

En plus de l'ONU, ils assoient la légitimité d'un État algérien auprès d'alliés africains. Une conférence de 9 États indépendants d'Afrique demande à la France de reconnaître au peuple algérien le droit à l'autodétermination.

En France, le 30 juin 1960, l'UNEF et la CGT signent une déclaration commune réclamant des négociations avec le GPRA.

Pour une Algérie indépendante

Le rouleau compresseur du plan Challe a écrasé les maquis, mais la répression a fait basculer la population algérienne qui se range en grande majorité du côté du GPRA...

... la diplomatie et la politique semblent avoir regagné le terrain perdu par les armes et ruiné définitivement « l'Algérie de papa ».

De Gaulle est conscient de l'inéluctable et veut précipiter le règlement de l'affaire algérienne.

Dans une allocution télévisée, le 4 novembre 1960, il annonce l'organisation d'un référendum sur l'autodétermination de l'Algérie et utilise même l'expression « République algérienne ».

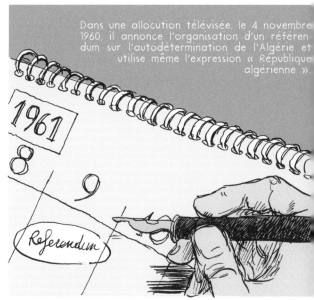

Outre-Méditerranée, les réactions des deux côtés ne se font pas attendre. Les Européens manifestent violemment en masse en décembre 1960.

Mais, fait nouveau, on voit également des musulmans manifester aux cris de « Algérie musulmane ! », « Vive le FLN ! ».

En face, les gendarmes et les CRS tirent.

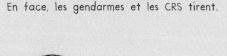

À Alger, le bilan officiel fait état de 112 morts, Algériens.

Le 8 janvier 1961, on vote. Le résultat est sans appel : 75 % des votants en métropole approuvent la politique du général de Gaulle. Ils sont 69 % en Algérie.

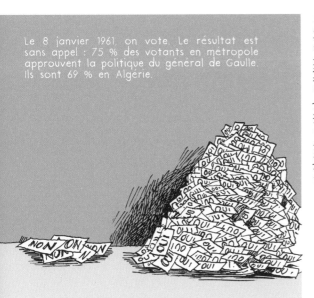

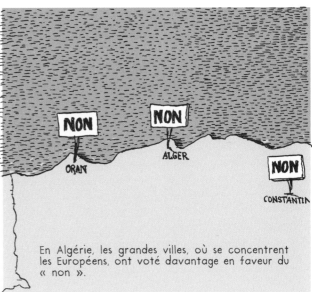

En Algérie, les grandes villes, où se concentrent les Européens, ont voté davantage en faveur du « non ».

Les partisans de l'Algérie française y sont mobilisés

Le gouvernement souhaite accélérer le processus. Georges Pompidou se rend secrètement en Suisse pour organiser de nouvelles négociations. Celles-ci doivent s'ouvrir officiellement en avril 1961 à Évian.

Le même mois, de Gaulle confirme sa politique :

LA DÉCOLONISATION EST NOTRE INTÉRÊT, ET PAR CONSÉQUENT NOTRE POLITIQUE.

En réaction, de hauts gradés de l'armée en Algérie se désolidarisent du chef de l'État. Pendant plusieurs semaines, ils préparent, dans l'ombre, une sorte de contre-révolution.

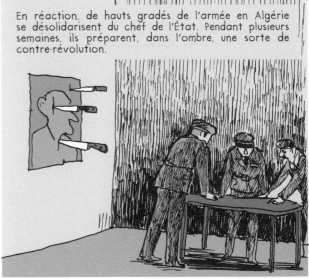

LES GUERRES SANS FIN
DÉCEMBRE 1960 - ÉTÉ 1962

21
AVRIL
1961

22 AVRIL 1961

JE SUIS À ALGER AVEC LES GÉNÉRAUX ZELLER ET JOUHAUD, ET EN LIAISON AVEC LE GÉNÉRAL SALAN POUR TENIR NOTRE SERMENT, LE SERMENT DE L'ARMÉE DE GARDER L'ALGÉRIE, POUR QUE NOS MORTS NE SOIENT PAS MORTS POUR RIEN.

Dans la nuit du 21 au 22 avril, avec à peine 1 000 hommes, Zeller, Jouhaud, Salan et Challe prennent d'assaut le gouvernement général, l'aéroport, la radio et l'hôtel de ville. Quelques régiments se placent sous leurs ordres.

ALGÉRIE FRANÇAISE !

ALGÉRIE FRANÇAISE !

Les quatre militaires sont acclamés par la foule.

TOUT DE SUITE, LE PRÉSIDENT DE LA RÉPUBLIQUE.

UN POUVOIR INSURRECTIONNEL S'EST ÉTABLI EN ALGÉRIE PAR UN PRONUNCIAMENTO MILITAIRE. LES COUPABLES DE L'USURPATION ONT EXPLOITÉ LA PASSION DES CADRES DE CERTAINES UNITÉS SPÉCIALES, L'ADHÉSION ENFLAMMÉE D'UNE PARTIE DE LA POPULATION DE SOUCHE EUROPÉENNE ÉGARÉE DE CRAINTES ET DE MYTHES, L'IMPUISSANCE DES RESPONSABLES SUBMERGÉS PAR LA CONJURATION MILITAIRE.

CE POUVOIR A UNE APPARENCE : UN QUARTERON DE GÉNÉRAUX EN RETRAITE ; IL A UNE RÉALITÉ : UN GROUPE D'OFFICIERS PARTISANS, AMBITIEUX ET FANATIQUES. CE GROUPE ET CE QUARTERON POSSÈDENT UN SAVOIR-FAIRE LIMITÉ ET EXPÉDITIF, MAIS ILS NE VOIENT ET NE CONNAISSENT LA NATION ET LE MONDE QUE DÉFORMÉS AU TRAVERS DE LEUR FRÉNÉSIE.

VOICI QUE L'ÉTAT EST BAFOUÉ, LA NATION BRAVÉE, NOTRE PUISSANCE DÉGRADÉE, NOTRE PRESTIGE INTERNATIONAL ABAISSÉ, NOTRE RÔLE ET NOTRE PLACE EN AFRIQUE COMPROMIS, ET PAR QUI ? HÉLAS ! HÉLAS ! HÉLAS ! PAR DES HOMMES DONT C'ÉTAIT LE DEVOIR, L'HONNEUR, LA RAISON D'ÊTRE DE SERVIR ET D'OBÉIR. AU NOM DE LA FRANCE, J'ORDONNE QUE TOUS LES MOYENS, JE DIS TOUS LES MOYENS, SOIENT EMPLOYÉS PARTOUT POUR BARRER LA ROUTE À CES HOMMES-LÀ, EN ATTENDANT DE LES RÉDUIRE. J'INTERDIS À TOUT FRANÇAIS, ET D'ABORD À TOUT SOLDAT, D'EXÉCUTER AUCUN DE LEURS ORDRES... FRANÇAISES, FRANÇAIS ! VOYEZ OÙ RISQUE D'ALLER LA FRANCE PAR RAPPORT À CE QU'ELLE ÉTAIT EN TRAIN DE REDEVENIR. FRANÇAISES, FRANÇAIS ! AIDEZ-MOI !

24 AVRIL 1961

Conformément à l'article 16, le général de Gaulle se saisit des pleins pouvoirs.

Craignant que les militaires mutins n'atterrissent en région parisienne, le Premier ministre Michel Debré lance un appel aux populations locales en Algérie pour bloquer les avions à terre par tous les moyens :

Dès que les sirènes retentiront, allez, à pied ou en voiture, convaincre ces soldats trompés de leur lourde erreur.

À Paris, la réaction militaire est impressionnante. Des chars prennent place devant l'Assemblée nationale.

L'opinion publique de métropole se dresse contre les généraux putschistes.
Les syndicats organisent une grève symbolique d'une heure qui est fortement suivie.

25 AVRIL 1961

Le putsch des généraux est un échec. L'appel de de Gaulle a été suivi par la grande majorité des militaires et des officiers.

HOUHOU ?

Les mutins sont rapidement arrêtés au sein de leurs unités. Le 1er REP est dissous.

NONNN! RIEN DE RIEEENNN! NOOON! JE NE REGRETTE RIEN

Constatant leur échec, le commandant de Saint Marc et le général Challe se rendent aux autorités le 26 avril. Zeller fera de même le 6 mai.

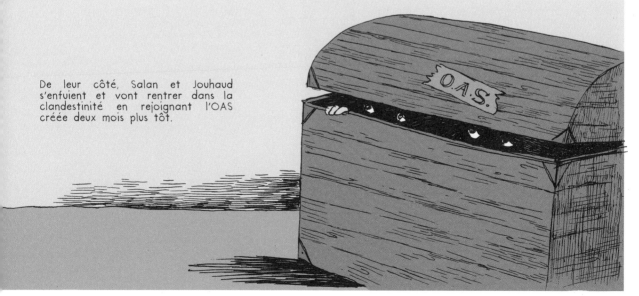

De leur côté, Salan et Jouhaud s'enfuient et vont rentrer dans la clandestinité en rejoignant l'OAS créée deux mois plus tôt.

O.A.S.

QUAND LE PUTSCH A ÉCHOUÉ, ALORS LA' LE DÉSESPOIR EST ARRIVÉ. UN DÉSESPOIR QUI ÉTAIT TRÈS VIOLENT ET... IL Y A EU L'OAS À CE MOMENT LA'. ALORS L'OAS, QU'EST-CE QUE C'ÉTAIT ?

MICHÈLE
BARBIER

C'ÉTAIT UN IMMENSE MOUVEMENT POPULAIRE OÙ TOUT LE MONDE PENSAIT QU'IL FALLAIT REJOINDRE L'OAS, PARCE QUE L'OAS C'ÉTAIT L'ALGÉRIE FRANÇAISE, C'ÉTAIT LE MAQUIS, ET C'ÉTAIT S'EXPRIMER PAR LA VIOLENCE PUISQUE LE FLN AVAIT GAGNÉ COMME CELA ET QUE LA LÉGITIMITÉ N'EXISTAIT PLUS. IL FALLAIT ABSOLUMENT LE FAIRE DE FAÇON ILLÉGITIME.

L'OAS, C'ÉTAIT POUR NOUS LA RÉSISTANCE. ET ON RENTRAIT VRAIMENT DANS L'OAS AVEC UNE ÂME DE RÉSISTANT.

MOI, JE ME RAPPELLE QUE J'ÉCOUTAIS LÉO FERRÉ CHANTER "L'AFFICHE ROUGE". JE LISAIS LES POÈMES D'ARAGON. ON ÉTAIT LES HÉROS, ON ÉTAIT LES PATRIOTES.

LA FRANCE ÉTAIT EN DANGER, LA FRANCE PERDAIT SON EMPIRE, ET ON ÉTAIT LÀ POUR REMETTRE LA FRANCE SUR LE DROIT CHEMIN, EN QUELQUE SORTE.

OAS ou Organisation de l'armée secrète : cette organisation politico-militaire clandestine a été créée le 11 février 1961, à Madrid. Le sigle OAS fait librement référence à l'Armée secrète (AS) de la Résistance.

Elle est créée par deux activistes de la semaine des barricades qui a échoué un an plus tôt : Pierre Lagaillarde et Jean-Jacques Susini, qui s'est rapproché de l'extrême droite.

L'organisation va réunir la plus grande partie des groupes anti-indépendantistes qui s'étaient déjà formés à l'époque : le FAF (Front de l'Algérie française), Réseau Résurrection Patrie, Étudiants nationalistes...

L'objectif de l'OAS est simple : défendre la présence française en Algérie par tous les moyens et empêcher les négociations avec le FLN.

Après l'échec du putsch d'avril 1961, les généraux Salan et Jouhaud rejoignent l'OAS à leur tour. Salan prend la tête de l'organisation.

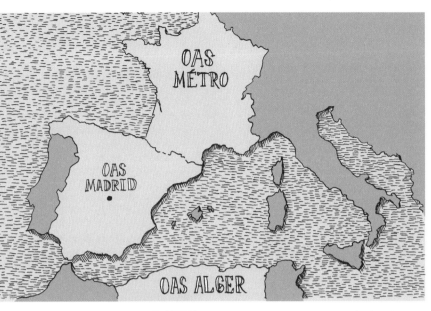

Trois branches d'inégale importance composent le mouvement : l'OAS Alger, l'OAS Métro, en France, et l'OAS Madrid.

Son emprise sur la population européenne d'Algérie se renforce et le Général de Gaulle, surnommé la « Grande Zohra », est désormais conspué et haï.

Rapidement, les activistes de l'OAS se lancent dans une campagne d'attentats.

Ils visent des commerçants musulmans, la police ou des enseignants qui représentent l'administration française.

La violence va aller crescendo.

Au lieu de demander à s'asseoir à la table des négociations qui se sont ouvertes à Evian, l'OAS pratique une fuite en avant suicidaire.

En octobre, Salan s'enorgueillit de pouvoir disposer à la fin de l'année d'une armée de 100 000 hommes armés et disciplinés.

Cette montée en puissance s'accompagne d'une multiplication des attentats en France et en Algérie, contre les institutions et les journaux notamment.

Le 18 juin 1961, un train a déraillé sur la ligne Paris-Strasbourg et causé 28 morts : l'attentat est attribué à l'OAS et crée une vive émotion en France.

Face à cette violence, la réponse policière tente de s'organiser. Une structure spécifique est créée, la Division des missions et recherche, issue de la Sécurité militaire.

DIVISION DES
MISSIONS & RECHERCHE

Au sein même de l'Assemblée, certains députés sont favorables à l'OAS. Il est notoire que l'organisation possède des soutiens dans certains milieux de la police, de l'armée, de l'administration et du gouvernement.

En décembre 1961 est créé le Bureau de liaison qui regroupe l'ensemble des hommes des différents services chargés de lutter contre l'organisation. La lutte contre l'OAS gagne en efficacité.

RECHERCHE
O.A.S.

L'OAS se retrouve à devoir lutter à la fois contre le FLN et la police française.

Le mot « barbouze » apparaît pour désigner les commandos paramilitaires clandestins chargés de lutter contre l'OAS.

Leurs membres sont recrutés dans divers milieux : truands ou policiers non officiels. Un monde parallèle se constitue qui échappe en partie au pouvoir politique.

Les premiers « barbouzes » arrivent à Alger fin novembre 1961. Ils pratiquent eux aussi la terreur : des attentats visent des bars fréquentés par l'OAS.

Attentats, interrogatoires sous la torture... Les barbouzes ont les mains libres pour utiliser des moyens dont la Sécurité militaire ne peut pas officiellement user.

L'OAS va porter des coups terribles à cette organisation clandestine qui sera considérablement affaiblie.

Les activistes de l'OAS sont également la cible des militants du FLN qui les visent par des enlèvements et attentats...

Pour l'OAS, le principal ennemi reste le général de Gaulle.

Pour autant, l'OAS répond avec la même intensité aux actions du FLN : la terreur appelle la terreur... Et dans les deux camps c'est l'escalade de la violence.

La folie meurtrière des militants de l'OAS les conduit à exécuter des détenus de droit commun et politique dans les prisons.

Le but de l'OAS est de faire échouer les négociations en cours entre le FLN et la France.

Alors même que chacun des deux camps tente de s'imposer face à l'autre.

Dans les pourparlers qui s'ouvrent avec le FLN, les autorités françaises cherchent à négocier en position de force.

Le 4 octobre 1961, un couvre-feu est imposé aux Algériens vivant en France à partir de 20 heures.

La Fédération de France du FLN décide d'organiser une manifestation à Paris dans la soirée du 17 octobre. 30 000 Algériens bravent le couvre-feu.

La répression, dirigée par le préfet de police de Paris Maurice Papon est sanglante. Près de 100 manifestants sont tués. Les blessés sont nombreux. Et 12 000 Algériens sont arrêtés.

IL Y EN A UN, LÀ !

La violence en métropole plonge la population française dans l'angoisse. Les exactions de l'OAS s'intensifient au début de l'année 1962. On dénombre 800 attentats et plus de 500 victimes (morts et blessés) durant le mois de janvier 196

BOUM

BOUM

BOUM

BOUM

L'opinion devient de plus en plus hostile à l'OAS.
Le 7 février 1962, un nouvel attentat vise le domicile d'André Malraux.

Delphine Renard, une petite fille de 4 ans qui jouait au rez-de-chaussée de l'immeuble, est grièvement blessée et perd un œil dans l'explosion.

Les photos de la petite fille dans *Paris-Match* sont un choc.
L'opinion publique française bascule contre l'OAS.

TOUS EN MASSE !

ce soir à 18 h 30, place de la Bastille

Les assassins de l'OAS ont redoublé d'activité. Plusieurs fois dans la journée de mercredi, l'OAS a attenté à la vie de personnalités politiques, syndicales, universitaires, de la presse et des lettres. Des blessés sont à déplorer ; l'écrivain Pozner est dans un état grave. Une fillette de 4 ans est très grièvement atteinte. Il faut en finir avec ces agissements des tueurs fascistes. Il faut imposer leur mise hors d'état de nuire. Les complicités et l'impunité dont ils bénéficient de la part du pouvoir, malgré les discours et déclarations officielles, encouragent les actes criminels de l'OAS.

Une fois de plus, la preuve est faite que les antifascistes ne peuvent compter que sur leurs forces, sur leur union, sur leur action. Les organisations soussignées appellent les travailleurs et tous les antifascistes de la région parisienne à proclamer leur indignation, leur volonté de faire échec au fascisme et d'imposer la paix en Algérie.

8 février 1962

La répression brutale de la manifestation de Charonne fait 9 morts et de nombreux blessés.
500 000 personnes se retrouvent pour leurs obsèques au Père-Lachaise.

La France est divisée entre ceux qui refusent la fin de l'Algérie française et ceux qui l'acceptent.

Mais l'opinion est majoritairement favorable à la paix. Et aux négociations qui sont menées par les autorités françaises et le GPRA à Évian.

18 mars 1962,
Évian.

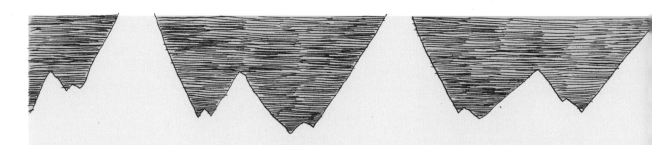

LES ACCORDS

Plusieurs points ont fait l'objet de longues discussions :

Un accord de cessez-le-feu, applicable dès le lendemain.

Les droits des Européens qui bénéficient de la double nationalité pendant trois ans avant de choisir entre le statut de citoyen algérien ou de résident étranger privilégié.

La poursuite du « plan de Constantine » d'octobre 1958, plan de développement économique : construction de logements et d'usines, terres nouvelles aux cultivateurs musulmans, égalité de salaire avec la métropole, scolarisation de toute la jeunesse algérienne.

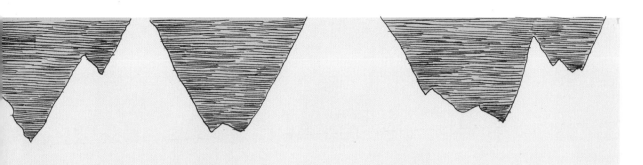

D'ÉVIAN

Le Sahara est l'objet principal de la négociation. Les accords d'Évian permettent à la France d'y conserver des bases militaires pendant quelques années...

... d'y bénéficier pendant un temps d'un droit de préférence dans la recherche du gaz et du pétrole ...

... et enfin d'y poursuivre ses essais nucléaires commencés en février 1960.

La population retient surtout l'annonce du cessez-le-feu qui met fin à la lutte armée sur l'ensemble du territoire algérien. Et annonce le retour des soldats du contingent.

En signant ces accords, la France admet pour la première fois l'existence de la guerre d'Algérie même si ce terme ne sera reconnu qu'en 1999.

Mais le conflit sanglant ne prend pourtant pas fin.

RATATATAT

ORGANISATION ARMÉE SECRETE

Secteur Orleans Marine
+++++++++++++++++++++

N° 34   XCM/I2

Le cessez le feu de Mr. DE GAULLE ne signifie
pas le cessez le feu de la FRANCE.

========NOTRE GUERRE COMMENCE...========

ORGANISATION ARMEE SECRETE
==========================

Secteur Orleans Marine
++++++++++++++++++++++++

N° 35   CSP/22

Les forces de l'ordre, gendarmes mobiles,
C.R.S. et unités de quadrillage sont invitées à se refuser à toute
action dans le secteur délimité par la caserne PELISSIER, la
caserne d'ORLEANS, Climat de FRANCE et St. EUGENE.

48 heures de réflexion sont laissées aux
Officiers, Sous-Officiers et soldats qui, à partir du jeudi 22 Mars
1962, à 0 heure seront considérés comme des troupes au servi.
à'un gouvernement étran...

Les partisans de l'OAS prennent le contrôle
du quartier européen d'Alger : Bab-El-Oued.

L'armée française encercle et ratisse
le quartier.

Pour briser le blocus, le commandement de l'OAS
proclame la grève générale à Alger et appelle les
Européens à une marche le 26 mars.

LIEUTENANT DAOUD, QUE FAIT-ON ?

RIEN. À PARIS, ON NOUS A DIT DE TENIR.

ET SI EUX, EN FACE, ILS NE SE TIENNENT PAS ?

PARIS A ÉTÉ CLAIR : S'ILS INSISTENT, ON OUVRE LE FEU.

À 14 h 45, rue d'Isly, une rafale de fusil mitrailleur claque en direction de l'armée.

Le PC du régiment donne l'ordre de la riposte. La mitrailleuse, au coin du boulevard Pasteur et de la rue d'Isly, balaye les manifestants.

HALTE AU FEU, MON LIEUTENANT !

On relève plus d'une cinquantaine de morts et des dizaines de blessés.

L'OAS subit un grave revers. La violence, déjà à son paroxysme, redouble.

Pourtant, le référendum sur les accords d'Évian est organisé. Le « oui » l'emporte largement avec plus de 90 % des voix.

Les dirigeants de l'OAS se lancent dans une folle escalade. C'est la « politique de la terre brûlée ».

Les plasticages et les mitraillages se succèdent à une cadence infernale pour semer un climat de terreur dans les villes.

Cette politique suicidaire ne laissera plus le choix aux partisans de l'Algérie française qu'entre « la valise ou le cercueil ».

MAURICE BENASSAYAG

Originaire de l'Oranie

JE ME SOUVIENS D'UNE ÉPOQUE OÙ L'OAS ÉTAIT OMNIPRÉSENTE.

JE SUIS ALLÉ À ORAN, J'ÉTAIS À UNE TERRASSE DE CAFÉ.

ET J'AI VU DES ADOLESCENTS ABATTRE DES GENS AU HASARD...

...ET S'ÉLOIGNER TRANQUILLEMENT.

C'ÉTAIENT DES SCÈNES ASSEZ COURANTES AVANT QUE L'ARMÉE N'INVESTISSE ORAN.

En mai, à Oran, quotidiennement, des Algériens sont abattus par l'OAS. Chacun se barricade, se protège comme il peut.

Certains Algériens musulmans quittent la ville pour rejoindre leur famille dans la périphérie ou dans les villages qui n'ont pas de forte population européenne.

Le GPRA tente d'obtenir le respect du cessez-le-feu.

Des commissaires politiques du FLN font surface pour essayer d'organiser la vie quotidienne : approvisionnement, ramassage des ordures...

La « politique de la terre brûlée » atteint son point culminant le 7 juin 1962 : l'OAS incendie la bibliothèque d'Alger et quelque 60 000 volumes. La mairie, la bibliothèque municipale et quatre écoles sont détruites, ainsi que les cuves de raffinerie d'essence...

Les autorités françaises marquent un point important contre l'OAS en arrêtant Salan et Jouhaud.

À Alger, Susini, un des responsables de l'OAS, tente sans succès de signer un accord politique avec des dirigeants du FLN.

Cet accord est rejeté. Les commandos OAS à Oran multiplient les incendies et attaquent plusieurs banques de la ville.

Mais, pour la plupart des responsables de l'OAS, l'heure est à la fuite vers l'Espagne ou vers la France, sur des chalutiers lourdement chargés d'armes et d'argent.

Dans le même temps, en masse, les Européens quittent le pays.

En effet, à partir d'avril 1962, commence l'exode, qui durera plusieurs mois, de 600 000 pieds-noirs qui s'arrachent à leur terre natale.

Les Européens comprennent qu'ils n'ont plus leur place en Algérie.

Après sept années sanglantes de guerre sans merci, ils craignent la vengeance du peuple algérien. Ils adoptent la devise : « La valise ou le cercueil. »

Ils devront construire une nouvelle vie, en France...

... où ils seront mal accueillis.

La plupart garderont longtemps en eux la nostalgie de l'Algérie perdue.

BENJAMIN STORA
Historien

UN CAMION MILITAIRE EST VENU NOUS CHERCHER, MES PARENTS, MA SŒUR ET MOI, A L'AUBE, POUR NOUS EMMENER SUR UNE BASE AÉRIENNE. AVEC CHACUN NOS DEUX VALISES ET NOTRE MANTEAU SUR LE DOS POUR GAGNER DE LA PLACE DANS NOS AFFAIRES. NOUS N'AVIONS PRIS NI JOUETS NI LIVRES. JUSTE DES HABITS.

C'ÉTAIT LA PREMIÈRE FOIS QUE NOUS MONTIONS DANS UN AVION. MA MÈRE AVAIT NETTOYÉ L'APPARTEMENT ET MON PÈRE AVAIT FERMÉ À CLEF, COMME SI NOUS PARTIONS QUELQUES JOURS EN VACANCES. C'ÉTAIT POURTANT BIEN UN DÉPART DÉFINITIF.

MES PARENTS ONT DÉCIDÉ DE PARTIR AU MOIS D'AVRIL 1962. ILS NE NOUS ONT RIEN EXPLIQUÉ, TOUT EN ESSAYANT DE NOUS RASSURER. MAIS MA SŒUR ET MOI ÉCOUTIONS LEURS CONVERSATIONS ANGOISSÉES LE SOIR, DERRIÈRE LA CLOISON. AVANT DE QUITTER L'ALGÉRIE, NOUS AVONS FAIT UNE PHOTO AVEC LES TANTES, LES ONCLES ET MES NOMBREUX COUSINS GERMAINS.

MA MÈRE NE S'EST JAMAIS HABITUÉE À L'ANONYMAT DE SARTROUVILLE, EN RÉGION PARISIENNE, OÙ NOUS NOUS SOMMES INSTALLÉS. CHAQUE FOIS QU'ELLE REVENAIT DES COURSES, ELLE SOUPIRAIT : "JE N'AI PAS VU UNE SEULE TÊTE CONNUE DANS LA RUE."

POUR LES FRANÇAIS DE MÉTROPOLE, NOUS ÉTIONS DÉSORMAIS DES "PIEDS-NOIRS". ET POUR L'ADMINISTRATION FRANÇAISE, NOUS ÉTIONS DES "RAPATRIÉS".

Avec l'exode des Européens, une autre tragédie se dessine, celle des harkis, les supplétifs musulmans de l'armée française.

Si certains, notamment des officiers des SAS, ont commencé à organiser leur rapatriement en France, un télégramme du 16 mai 1962 du ministre d'État Louis Joxe les a rappelés à l'ordre :

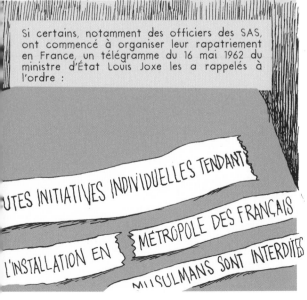

UTES INITIATIVES INDIVIDUELLES TENDANT

L'INSTALLATION EN { MÉTROPOLE DES FRANÇAIS

MUSULMANS SONT INTERDITES

Aux yeux des nationalistes algériens, ces harkis apparaissent comme des « traîtres ».

NICOLAS D'ANDOQUE

Officier appelé

ON A PERDU NOTRE HONNEUR DANS CE DÉPART D'ALGÉRIE. ON A ESSAYÉ DE SAUVER DES HOMMES.

ON A PEUT-ÊTRE SAUVÉ UNE PETITE PARCELLE D'HONNEUR. MAIS AUJOURD'HUI ENCORE, NOUS N'EN SOMMES TOUJOURS PAS FIERS...

...VRAIMENT PAS.

SI VOUS VOULEZ QUE JE DISE QUELQUE CHOSE D'EXCESSIF, QUE VOUS COUPEREZ APRÈS, JE DIRAIS QUE C'ÉTAIT PRESQUE DU RACISME. LA FRANCE NE VOULAIT PAS D'ALGÉRIENS EN FRANCE !

PARCE QU'AU FOND, ON N'ALLAIT PAS DONNER L'INDÉPENDANCE À L'ALGÉRIE EN AYANT EN PLUS DES ALGÉRIENS EN FRANCE ! ET IL Y AVAIT UNE VOLONTÉ DE NE PAS CRÉER D'AUTRES PROBLÈMES, JE CROIS QUE C'ÉTAIT POUR "SOLDE DE TOUT COMPTE": "ON ABANDONNE L'ALGÉRIE ; ON NE VA PAS EN PLUS SE CRÉER DES PROBLÈMES AVEC DES RAPATRIÉS MUSULMANS!"

JE CROIS QUE C'ÉTAIT AUSSI... LAMENTABLE QUE ÇA !

À la veille de l'indépendance, une crise s'ouvre entre les différentes tendances du nationalisme algérien.

Fin mai-début juin 1962, au congrès du FLN de Tripoli, les dirigeants ne parviennent pas à trouver un accord politique, pour construire une direction politique stable.

Des rivalités personnelles se font jour entre les chefs récemment libérés par la France (Ben Bella, Aït Ahmed, Boudiaf) ; entre les maquis de l'intérieur et le GPRA ; entre les maquis eux-mêmes, dont certains ne veulent pas appuyer politiquement l'armée des frontières, dirigée par Houari Boumediene.

Certains dirigeants de FLN attaquent le président du GPRA, Benkhedda, sur son acceptation des accords d'Évian qui, selon eux, constituent « une plate-forme néo-colonialiste que la France s'apprête à utiliser pour asseoir et aménager sa nouvelle forme de domination ».

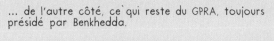

S'opposent progressivement, d'un côté l'armée des frontières emmenée par Houari Boumediene qui a passé un accord avec Ben Bella et...

... de l'autre côté, ce qui reste du GPRA, toujours présidé par Benkhedda.

Mais la confusion demeure au sein du GPRA.

À la frontière tunisienne et marocaine, Boumediene prépare ses 36 000 hommes à entrer en Algérie

Après la guerre contre la France, le pays se prépare à vivre une guerre civile.

Le 1er juillet 1962, le peuple algérien est invité à se prononcer par référendum sur la question : "Voulez-vous que l'Algérie devienne un État indépendant coopérant avec la France dans les conditions définies par la déclaration du 19 mars 1962 ?"

L'écrasante majorité répond « oui » à 99,72% des suffrages exprimés.

Le 3 juillet, la France reconnaît officiellement l'indépendance de l'Algérie.

Au moment de l'indépendance, les violences continuent encore dans certaines régions.

Des Algériens investissent les quartiers européens.

À Oran, le 5 juillet, on traque les Français et on les massacre.

L'armée française tarde à intervenir.

AAAHHH

AAAHHH

Certains responsables de l'ALN vont progressivement reprendre la situation en main.

Mais au cours de ces journées sanglantes, plus de 3 000 personnes ont été enlevées... dont plusieurs dizaines ont été retrouvées mortes.

Beaucoup de familles resteront sans nouvelles des disparus pendant de nombreuses années.

Ce n'est qu'en 2005 que le ministère des Affaires étrangères ouvre aux familles qui le souhaitent les archives sur « les disparus » de l'été 1962.

En France, l'OAS lance ses dernières forces dans la bataille en organisant un attentat contre le président de la République, le 22 août 1962. C'est l'attentat du Petit-Clamart. De Gaulle en sort miraculeusement indemne.

Après plus de sept années de conflit, le bilan de la guerre d'Algérie est lourd sur tous les plans.

En mars 1962, le journaliste économique du *Monde* évalue les dépenses militaires à quelque 27 à 50 milliards de francs (de 4 à 7,6 milliards d'euros environ).

Mais ce n'est pas la seule variable à prendre en compte. Il faudrait aussi calculer le coût des rapatriements, celui des destructions causées par la « politique de la terre brûlée ».

De son côté, de Gaulle avait, dès avril 1961, avancé l'argument économique en faveur de l'indépendance :

L'ALGÉRIE NOUS COÛTE, C'EST LE MOINS QU'ON PUISSE DIRE, PLUS CHER QU'ELLE NE NOUS RAPPORTE... C'EST UN FAIT, LA DÉCOLONISATION EST NOTRE INTÉRÊT, ET, PAR CONSÉQUENT, NOTRE POLITIQUE.

Sur le bilan des pertes humaines, la guerre des chiffres fait rage.

Côté algérien, le chiffre de 1 million, voire 1,5 million de morts, a été retenu. Côté français, on a avancé le chiffre de 250 000 morts.

D'après les estimations les plus sérieuses, la guerre aurait fait près de 500 000 morts, dont 400 000 Algériens musulmans.

Le total des pertes militaires françaises se situe autour de 30 000 hommes. On compte environ 4 000 morts parmi les Européens d'Algérie.

Le nombre de harkis exécutés est le sujet des querelles les plus vives. Les historiens donnent une évaluation de 15 000 à 30 000 morts.

Mais le bilan d'une guerre ne saurait se résumer à des chiffres. Il y a eu les déplacements massifs de population, les tortures, les disparitions, les enlèvements, etc. Et le conflit a aussi divisé les Algériens entre eux et les Français entre eux.

Le consensus national né de la Résistance dix ans plus tôt vole en éclats et ouvre une crise du nationalisme français.

La France voit revenir une jeunesse traumatisée.
Les vétérans de la guerre d'Algérie se remémoreront volontiers les anecdotes de chambrée mais tairont longtemps le quotidien de la guerre sur le terrain et ses exactions.

Le conflit affaiblit durablement la gauche : la SFIO est entrée en déliquescence et c'est le début de la crise du PCF.

Une fois la guerre terminée, une sorte d'oubli s'installe des deux côtés de la Méditerranée. L'Algérie doit faire face au défi que représente la construction d'un État.

Le pays est fatigué après sept années de guerre sur son territoire.

Les Algériens souhaitent développer l'économie, bâtir une société nouvelle.

Une vision glorieuse du conflit s'impose : celle d'une guerre de « libération nationale » menée par un peuple uni contre la puissance coloniale française derrière le FLN. La mémoire des opposants du FLN devient un sujet tabou.

Le parti unique et autoritaire va dominer le pays pendant des décennies.

En France, des vagues de « retours de mémoire » se sont succédé depuis les années 1990, suscitant de vifs débats : sur le 17 octobre 1961, sur la torture, sur les événements de Sétif, sur la commémoration du cessez-le-feu du 19 mars 1962...

C'est en juin 1999 seulement que l'Assemblée nationale a voté une loi qui permet de substituer l'expression « guerre d'Algérie » à celle d' «opérations de maintien de l'ordre».

Pour beaucoup aujourd'hui encore, la guerre d'Algérie est une blessure.

SOURCES

Les témoignages suivants sont issus du film documentaire *Les Années algériennes* par Benjamin Stora, Philippe Alfonsi, Bernard Favre et Patrick Pesnot (par ordre d'apparition dans les planches) :
• Roger Devroe (page 33)
• Jean-Pierre Gouaud (page 50)
• Pierre Hoyau (page 55)
• Mohamedi Saïd (page 60)
• une habitante de Melouza (page 60)
• Saïd Ferdi (pages 84-85)
• Jean-Paul Ribes (page 117)
• Michèle Barbier (page 142)
• Maurice Benassayag (page 167)
• Nicolas d'Andoque (page 177)
© A2/Première Génération/INA – Entreprise juin 1991.

Le témoignage du harki anonyme de la page 176 est tiré de l'émission « Cinq colonnes à la une », *Algérie la fin d'une guerre*, 6 avril 1962.

Les témoignages du harki anonyme et de Noël Favrelière reproduits pages 95 et 128-129 ont été publiés dans le livre de Benjamin Stora, *Algérie 1954-1962* (Les Arènes, 2010).

Le texte de Mouloud Feraoun reproduit page 19 est extrait de son *Journal* (Points, « P2678 », 2011, page 63).

Le texte de Germaine Tillion reproduit page 5 est extrait de « À la recherche du vrai et du juste » publié dans le recueil *Combats de guerre et de paix* (Seuil, coll. « Opus », 2007, page 280).

Les pages 36-37, 52-55 et 115 s'inspirent librement de divers témoignages et sources.

Légendes :
Chapitre 1er - La drôle de guerre (page 7) : Les gorges des Aurès
Chapitre 2 - La guerre ouverte (page 31) : La plage de Jilel
Chapitre 3 - La guerre cruelle (page 65) : La baie d'Alger
Chapitre 4 - Vers la guerre civile ? (page 103) : les montagnes de Kabylie
Chapitre 5 - Les guerres sans fin (page 135) : Vue d'Oran

REMERCIEMENTS

Les couleurs ont été réalisées en grande partie par Anne-Sophie Dumeige. Le dessinateur la remercie pour ce travail et pour son soutien.

Achevé d'imprimer en janvier 2020 par Pollina (France) - 92098